我不是教你詐③（現代處世篇）

◉劉墉 著

我不是敎你詐，是敎你保護自己，
免得鴨子煮熟，才到嘴邊又飛了！

這社會很殘酷，
你錯，沒人告訴你，
只偷偷修理你。
你一輩子不發現，
就吃虧一生！

【前言】

別讓煮熟的鴨子飛掉了

一九九八年二月，我剛寫完這本書的時候，正好有位學生到家裡做客，就把稿子交給她，請她先睹爲快，並在她看完之後，問她的感想。

「有些故事寫得滿深的。」她笑笑：「尤其看到結尾，常嚇一跳，想怎麼會這樣？但是接著，看完後面的解說，就一下子全懂了。」

她說的感想，正是我寫作這本《我不是教你詐③》的目的。

從小到大，無論我們多麼努力，總會遭遇許多挫折；尤其進入社

會之後，常遇到莫名其妙的阻力。有時候「水到渠成」的事，突然吹了；有時候好好的朋友，突然翻了。

更可怕的是，我們常得罪了人，搞砸了事，甚至連累了一整個團體，自己卻不知道。

就如同這本書的故事，許多結局都是「急轉直下」，令人費解。

◉

這個社會很妙——

你賣東西給客戶，東西不好，他不直說，反而講「這東西真棒，只是我現在不需要」。

你在公司辦事，違反了工作倫理，主管不教你，只偷偷在他的本子上記下來，年終少發你半個月獎金。

你託人找工作，託錯了人，他不告訴你「走另外一條路才對」，只說「我盡了力，但沒缺」。

你一句話，得罪了某人，他表面沒事，卻恨你一輩子。這一輩子，你只要有事經過他，他就偷偷修理你。

多可怕啊！

你可能被整了、被賣了、被宰了，死得很難看，卻到死都不知道自己做錯了。

◉

這本書裡主要談的就是「你」。因爲許多問題，如同疾病，在怪別人傳染的同時，也得怪自己。

你得的病，說不定大部分都因爲你自己吃壞了、做錯了。所以，

當你罵別人使詐的時候，先要想想是不是自己出了問題；在你怪別人「多心」的時候，先該想想是不是自己「不小心」。

看章回小說或電影。一個人被謀害，臨死之前會要求「我只想知道是誰害了我」。那原本可以由後面一刀，把對手解決的人，也常對那將死的人說：「轉過身，看清楚！是我把你幹掉，別死得不明不白。」

我希望這本書，不是教你到「那一刻」，才轉身；而能早早轉身，改變自己的命運。

◉

這本書裡的故事都經過策畫，包括了政治、商業、黑白兩道，以及一般人際關係的題材，你可能發現一串故事，由「辦公室」開始，

最後卻帶到夫妻朋友，或是由一個裝潢工人開始，最後卻談到外交部長。

「治大國如烹小鮮」，憑什麼首長不能跟廚子並提呢？

當然，你也可能看到一些政治人物的影子。請不要多想，雖然每個故事都可能有眞實的背景，但那絕不是針對某幾個特定的人物。

很簡單，我不認識你，你在書裡卻可能見到自己的影子。

如同我在「處世系列」第一集——《人生的眞相》裡所說，我的書會愈來愈辛辣，也如那位學生所說，這本書裡，有些故事還滿深的。

但是，只要你找個安靜的環境，細細看，我相信你一定能懂。

我尤其要建議，當你看完一個故事，驚訝於它的結果時，別急著

看下面的解說。而把故事再讀一遍，自己先想一想。

你很可能豁然貫通，暗叫一聲：「這不就是我常犯的毛病嗎？」

你也可能因此往回想，一下子搞懂：「原來我以前是這樣垮的。」

《我不是教你詐》，是教你保護自己，免得——

煮熟的鴨子，才到嘴邊又飛了。

目錄

【後記】

【附錄】

豬八戒照鏡子，
裡外不是人！

當新人進入洞房

「叫那賤人出來！」

「她沒來。」

「我不信。」

「沒來就是沒來，不信，你進去搜。」小欣往門邊一讓，手一揮。

「好，我就搜。」志剛居然大步衝進去，每個房間跑了一圈，差點把小欣的女兒珊珊撞倒。

「對不起！對不起！」志剛抱歉地對珊珊說：「叔叔嚇到妳了。」說完，居然抱著珊珊嗚嗚地哭了起來。

把珊珊牽開，小欣遞了幾張面紙過去：「怎麼啦？不要這麼激動嘛！是不是又吵架了？」

「我不是激動！」志剛抬起頭，紅著眼睛指著小欣：「妳不要說我激動喲！我今天非常冷靜，我非跟她離婚不可，不離我是狗，我都已經打電話找離婚公司了，她居然跑掉了。」突然仰著臉大喊：「妳這賤人，妳夠種，妳出來啊！妳不是敢把我的錢拿出去給人家花嗎？」

「她給誰花了啊？」

「天知道給誰，她那麼多男人。」

「那麼多男人？」

「欸！」志剛歪著頭，對著小欣：「妳跟她認識這麼久，妳會不知道她有多少男人？」

「我，我當然知道。」

「沒什麼了不起，我告訴妳，我的女人更多，我是風流，不是下流。妳知道她有多淫，有多賤嗎？」嚥了口口水，作出一臉鄙夷的表情：「有一回我去桃園跑業務，騎著那輛爛機車，才到她家，她居然等不及我洗完澡，就說『我好需要哦！我好需要哦！』妳知道她會急得在浴室外面敲門嗎？」

「她愛你嘛！」

「得了吧！那時候誰不知道她跟你們老闆好？妳不知道？」

「我當然知道，但那是以前的事了。」

「誰知道現在還來不來往？」志剛把臉一板：「好！我問妳，她現在是不是還跟那個王八蛋往來？妳敢確定沒有？」

「我不知道，那是你們的事。」

「好！我們的事，妳少管。她八成會到妳這兒來，我非把她逮到不可。」

說完就衝出門去。

◉

志剛才走，小欣還扶著門發愣呢，小霞居然就呼地一聲，將小欣推進門，把門關上。撲在小欣身上哭了起來：

「他說我拿了他的錢，我根本沒拿，我連看都沒看過，誰知道他藏了那麼多錢……」

「唉！男人嘛，常偷偷存錢，外面搞鬼。妳又不是不懂男人。」

「可是我沒拿他的錢哪！」

兩個人正說著，電話響。

「八成是他打來的。」小霞揮揮手：「說我不在。」

小欣正要過去接，電話鈴停了。跟著珊珊笑嘻嘻地走出來：「我接了，是志剛叔叔，我就把它掛了。」

正說，電話又響。

珊珊又跑過去，把話筒拿起再放下。咯咯咯地笑了起來。

又過不久，門鈴響。小欣先把小霞推進臥室，再去應門。

果然是志剛。可是態度全不一樣了，滿臉淚痕朝屋裡喊：「小霞！小霞！是我錯了，錢我找到了……」

◉

不超過十五分鐘，兩個原來已經非離婚不可的人，居然摟著、抱

著，走出小欣的公寓。

「好好地過！不要吵了！畢竟是夫妻。」小欣在樓上陽台，伸著頭叮囑。

「好好地過！不要吵了！」志剛學著小欣的聲音，關上車門，摟了摟嬌妻：「得了吧！我看妳這個朋友根本不是朋友。」

「我本來也沒這麼認爲。」

「妳知道嗎？她居然說妳以前有一堆男人，還說妳跟老闆好。」

「你信嗎？」

「我當然不信。」

「她也說你存私房錢，是在外面搗鬼。」

「我那錢是爲了在情人節，買個讓妳驚喜的禮物。」

「我猜也是。」小霞親了親志剛：

「我才不會信她呢，她啊！是唯恐天下不亂，希望大家跟她一樣。」咬了咬牙：「那個珊珊也混蛋，居然敢掛你電話。」

【想一想】

天哪！世界上怎麼會有這種恩將仇報的人？

看完上面的故事，你會不會這麼想？

可不是嗎？

當你把故事最後一段蓋起來，只看到小欣在陽台上叮囑兩個人「好好過」。你一定心想「這是多麼好的結局」，對不對？你怎麼可能料到志剛和小霞一上車，就反咬小欣一口？

處世的學問就在這兒了。

你必須知道，許多時候你當「調人」，人家和好了，你自以為居功甚偉，後來才發現自己不但沒得好報，反而被誣陷。

中國有句俗話——「新人送進房，媒人踢過牆」。不要以為這是玩笑話，其實裡面有大道理。

當兩個人（或兩個團體、兩個國家）有了矛盾、產生了爭執，雙方又不願意「當面對話」，他們靠誰？靠中間人！也可以說靠「調人」。

「你告訴他我絕對要怎樣！」

「你也告訴他我不可能讓步！」

兩造你一句、我一句，全靠這位「調人」傳話。

這時候最神氣的就是調人了。因為爭執的雙方，都得從調人的一張嘴裡，得知對方的反應。

於是「紅口白牙」的調人，可以把一方的「小氣」說成「大怒」；也能把一邊的「大怒」說成「微慍」。似乎「風雲變色」或「雨霽天晴」，全看這調人怎麼「調」。

這「調人」可以把事情誇大，把矛盾加深，他知道雙方的誤解愈久，他這調人的角色，也就可以維持得愈久。

◉

終於有一天，他調解成功了，兩造見了面、把酒言歡、重歸舊好。

這不都是調人的功勞嗎？兩邊不都應該好好向這調人致謝嗎？

當然！你會發現當雙方和好的那一刻，第一杯酒往往都是敬那位在中間奔走、「化干戈為玉帛」的調人，調人總是居首功。

調人還在飲酒，和好的雙方已經互相敬酒，勾肩搭臂地談笑，甚至告別賓客，步入「洞房」。

他們「和好」或者「合好」了。如果原來是敵人，現在成為了不打不相識的戰友；如果原來是「怨偶」，現在成為愈打愈親愛的夫妻。

人家都上牀了，你這媒人還在這兒得意什麼？人家成為了無話不談的枕邊人，還需要等你傳話嗎？

聽聽，他們在枕邊說些什麼？

「其實我根本沒這意思，妳誤會了。」

「我也認為你不會這麼絕，怎麼搞的？陰錯陽差，差一點我們就萬劫不復了。」

請問，他們下一句要怎麼說？他們要把彼此的誤會往誰身上推？

當然往你身上推！

◉

他們不推給你，又推給誰？過去那麼長的時間，他們根本不「對話」，全靠你「傳話」。「聽擰了意思」，除了怪他自己的耳朵，當然只能怪你。

世上有幾個人會怪自己呢？何況在這濃情蜜意的時刻，只怕什麼錯，都推到了你身上。

他們的枕邊話，你聽不到了，你過去傳話中的任何「語病」或「添的油、加的醋」，現在都在當事人的「對質」之下「現形」了。

就如同前面故事裡，當志剛問小欣「妳會不知道她有多少男人？」小欣答：「我當然知道。」還有，當志剛問「那時候誰不知道她跟你們老闆好？妳不知道？」小欣答：「我當然知道，但那是以前的事了。」當志剛問「她現在是不是還跟那個王八蛋往來？」小欣說：「我不知道，那是你們的事。」

表面看，小欣都沒說假話，也都說得客觀。但是落在志剛的耳裡，就都有了「實質的意思」，那印證了他長久以來懷疑的事情。

記住！人在生氣的時候，會口不擇言，把自己不確定的事全說成確定的事，你最好別亂答，更不可附和，甚至說，你最好用話岔

開，不要聽。

道理很清楚——

被你印證的事，就算在他們言歸於好的「蜜月期」不發作，也會埋在心底，有一天再吵架，口不擇言地吼出來。

誰說的？

你！

◉

至於他在吵架衝動之下透漏給你的「醜事」，也可能埋在心底：「真糟糕，把這事告訴了小欣，讓她知道我以前有更多女人。」

為了保全他的這個秘密，他能不忌諱你嗎？於是他會怎樣？

他會避免你和他的另一半走得更親近，他也可能渲染你作「調

人」時說的話，使他的另一半認為你是個愛造謠的人。

於是，有一天你轉述志剛那天的話，「他」可以不認帳，「她」也可以不信。

她是他的老婆，她當然比較信他。

什麼叫作「豬八戒照鏡子，裡外不是人」？

這就是！

◉

你或許要問，人性真這麼可悲嗎？是不是以後再也別幫朋友作調人了？

我的答案是：「人性確實有可悲的地方，但是只要你知道說話的技巧，就能把壞處變成好處。」

想想！如果當志剛罵小霞有一大堆男人的時候，你立刻堅定地說：「不可能，不要聽人亂講。」

當志剛說小霞淫的時候，你舉手制止：「你太衝動了，不要說那麼多私事好不好？」

當志剛懷疑小霞現在還跟老闆好的時候，你肯定地回答：「不可能，我可以作證。」

志剛會因此更氣、更恨你？還是感謝你？

誰會高興聽到老婆的朋友，證實自己老婆淫、蕩、通姦？他就算氣你「不附和他的話」，也會暗自寬心。

話說回來，這不才是勸解的方法嗎？你如果真有心勸人和好，當然應該幫人「潤飾」。

於是，你可以猜想，那故事的結局變成——

志剛才關上車門，就對小霞笑著罵道：

「妳這個屁朋友啊！也不知道拿了妳什麼好處，只會幫妳說話。把黑的說成白的，她也不怕咬到舌頭……」

他是真罵嗎？只怕是讚美吧！聽在小霞的耳裡，對你會有多麼感激啊？

於是，你和他們兩口子的友誼更好了，你是「與人為善」的真朋友！你是可以「交心」的真君子！

◉

請牢記：

如果你作中間人，要忠實地傳達，不可添油加醋。

如果你作調解人，要不聽醜話，只說美言。

只有這樣，你才能被感激，而不成為「最後的受害者」。

換個角度想：

如果有一天，你「出了問題」，千萬小心找調人。

假使你找了個「舌燦蓮花」的人，以為他的口才好，適合當。或找個「三姑六婆」型的人，以為她的門路熟，行得通。

你只可能受害。

而且那「害」會藏在深處，陰魂不散。

打仗時躲在別人背後，以爲安全的人，
很可能被敵人一槍，打一串！

合作大封殺

「自從冒出個奇奇公司，我就睡不好。因爲他們的產品跟我們很相似。」董事長低著頭說。停了兩秒，又猛一抬頭：「不過，看他們現在生產的東西，其實跟我們的相容。對抗不如合作，說不定可以把兩家的產品結合在一起，一起出去打天下，還更有利。」說完，指了指業務部的王經理：

「你比較會說話，就由你去奇奇看看，你那『產品說明書』不是印得很漂亮嗎？帶去，探探他們的口風，如果不錯，改天再由我出馬。」

◉

得到董事長這個聖旨，王經理眞是神了，好像全公司未來的希望都看他一個人了。

奇奇倒也眞夠意思，明知道是競爭的對手，才一個電話，居然就約到張總經理。憑對方這個「善意的回應」，就成功了一大半。

更想不到的，是王經理才跨進奇奇的大門，他們的張總已經出來迎接，而且重重地握手，這不更是個好的開始，讓王經理信心大增了嗎？

「看！張總多麼細心地翻閱我們的產品說明書，這說明書可不是蓋的，全是我請專家設計，保證國際水準的東西。」王經理得意地想。

果然吧！張總把說明書舉起來，笑著問：

「你們這說明書做得不錯，介紹得也很清楚，我們確實可以合作，

改天跟你們老闆見個面，細談吧！」

天哪！居然一下子就成功了。王經理幾乎興奮地跳起來，趕快起身致謝。

「噢！對了。」張總笑著趨前，拍了拍王經理的胳臂，又指了指產品說明：「你們這說明書是哪兒印的啊？」

「是請個有名的廠印的。」王經理高興地說。

「印這麼厚一份，不少錢吧？」

「當然，當然。」王經理更得意了：「一份算下來要五百多塊！」

「五百多？」張總睜大了眼睛：「一共印多少份？」

「一萬份。」

「太貴了！太貴了！我告訴你，你們被坑了！」張總居然翻著說

明書，大聲地笑道：「我公司剛印了一批，跟你們的差不多，一份才三百，改天我給你介紹，爲你們公司省一筆。」

「太好了！太好了！謝謝張總。」王經理趕緊鞠了個深深的躬：「我馬上回去向董事長報告。」

◉

王經理回到公司，從進門，就成爲大家目光的焦點，沒進辦公室，秘書已經跑出來，說董事長在等了。

「一切都順利吧？」董事長見面笑吟吟地問。

王經理先沒說話，低著頭想了一陣，緩緩抬起頭：

「報告董事長，我覺得他們不是合作的對象，那個總經理很自大，從我進門，就批評我們公司，好像我們一無是處。」

【想一想】

看了這個「急轉直下」的故事，你有什麼感想？

王經理原來不是已經認為可以合作了嗎？為什麼又一下子改變態度，說奇奇的壞話？

只因為對方的張總經理批評他經手的產品說明書，就翻臉了嗎？王經理的心胸未免太狹窄了吧！

還是由於其他原因？使王經理心有顧忌，怕兩家老闆走得太近，會讓「某件事」曝光？

想想：

如果張總經理跟王經理的長官碰了面，又心直口快地說：

「你們這產品說明書印得太貴了，瞧瞧我們的，幾乎一樣，只要你們的半價，可以省下兩百多萬。」

董事長聽在耳裡，要不要查？查下來誰倒楣？搞不好，真查出來幾百萬回扣，還得有人吃官司，不是嗎？

◉

多可惜呀！兩家明明可以合作而「共謀其利」的公司，居然因為那兩句話便「擦身而過」了。搞不好，後來彼此惡性競爭，還共受其害。

如果張總經理不「心直口快」地管人家家務事，問印製產品說明書的價錢。

又如果王經理不「得意忘形」地透漏自己的成本，也不致造成

這種結果啊！

檢討一下，他們雙方確實都犯了商家大忌。

◉

那商家大忌，何嘗不是一般人的大忌？

別人送你禮，他特別小心地把價目標籤撕掉，讓你猜「那是比較貴的東西」。你能「沒心沒肺」地說：「我上禮拜也在大減價時買了個一樣的，八十塊錢，對不對？不對的話，你就買貴了。」

你以為你是好心，豈知會傷人的自尊心。

更可怕的情況是，當妳發現室友的男朋友送她一個禮物時，妳又自以為「萬事通」地說：

「啊！這項鍊我才見過，正在××百貨公司大減價。」

無論妳的室友，或她的男朋友知道，都會恨妳的。

◉

至於到朋友家，你就更要小心了。

那家丈夫剛抬回來一個按摩器，那家太太才買回一只仿古花瓶。如果他們的另一半得意地說：

「我丈夫花了八千多塊買的。」「我太太花了兩萬七。」

你可千萬別開口，說他們買貴了，而且貴得離譜。

你豈知他們有沒有把多報的拿去當私房錢？

如果你實在憋不住，怕朋友吃虧，而要「義憤填膺」地說出來。

可以，你可以私下把那買東西的人拉到一邊說：

「我不會跟別人講，只是要告訴你，照你太太說的價錢，你買

貴了。」

他若真買貴了，可能立刻跳起來說：「快告訴我，在哪裡可以買到便宜的，多少錢？我好找賣東西的人算帳。」

他也可能對你擠擠眼，小聲說：

「為了讓她高興，我是多講了些，其實沒那麼貴。」

於是你們分享了一個秘密，他會感激你、欣賞你。

◉

總之，你要記住，「心直口快」常常足以壞事，因為人與人之間不是直的。在「彎曲」的人際，太「直」常容易造成傷害。

你也要記住，向別人打聽的價錢，常不可信，信了會吃虧。

請看下一個故事。

沙發上的戰場

「哇！妳不但重新裝潢，連沙發也換了。」小莉一進門就叫了起來，說著跑過去，坐上沙發：「眞不錯，不軟不硬，我先生有坐骨神經痛，就該坐這種。」

「是啊！我也是考慮到我老公，他的腰也不好。」阿蓮把咖啡端出來，笑著說：「不錯吧！德國原裝，眞皮壓花，因爲表面經過處理，所以冬天坐起來不會涼。」

「一定很貴！」小莉摸著沙發的表面。

阿蓮沒立刻答，縮縮脖子，扮個鬼臉：「當然貴，不過我買得很

便宜，因爲是我設計師介紹的，他熟，結果市面上賣二十八萬，我拿批發價，才二十三萬。」

「差這麼多？」小莉叫了起來。

「當然，妳想想那些零售商的房租要多少，人事開支有多少，當然全得加在買主身上。」

小莉轉過身，又摸摸沙發的椅背，還探頭過去嗅了一下：「嗯！滿香的，一點沒有牛皮的臭味。」再抬頭盯著阿蓮：「妳能不能幫我介紹一下？我的沙發也該換了，最近正好有筆獎金，二十多萬。」

「一句話！」阿蓮立刻站起身，跑去翻名片本，撥電話：「我馬上打電話，就怕他們賣完了。」說著，電話撥通：「喂！我是李太太，就是陳金蓮啦，我才買的那種德國皮沙發，你們還有嗎？要算跟我一

樣價錢喲，我不拿你介紹費，只能更便宜，不能貴。二十三萬是吧？不能再便宜了嗎？」搗著聽筒問小莉：「妳確定要買？」

小莉趕緊不斷地點頭。阿蓮就繼續跟對方說：

「好！你幫我朋友留著，她叫小莉，我叫她拿你的名片去，說我介紹的。」臨掛電話，又想起一件事：「喂！你也跟對我一樣，不能算運費喲！」

放下電話，兩個人都高興地跳了起來，抱在一起大聲喊：「以後坐在妳家，就像坐在我家了！」

◉

一回家，小莉就把好消息告訴大勇，因爲大勇正好隔天有個要拜訪的客戶，離那家具店不遠，兩人就約好六點在家具店碰面。

大概太興奮了吧，小莉連椅子都坐不住了，才下班就衝出辦公大樓，五點半便到了家具店。

先沒吭氣，偷偷找，找到那套沙發，翻了翻上面的標籤，心臟差點跳出來，果然是二十八萬，眞是太走運、太賺了，一下子省了五萬呢！

老闆笑嘻嘻地過來。小莉趕快把名片遞過去：

「我是李太太介紹來的，昨天晚上她打過電話。」

「啊！」老闆把嘴巴張得好大：「對！對！對！李太太介紹，您是小莉小姐，要買這套沙發。」

「算我二十三萬對不對？」小莉搓著雙手：「而且免費送貨。」

「哇！妳們這些太太眞厲害，好啦！好啦！最後一套，照本錢賣

給妳了。」說著請小莉過去填單子。

剛填兩行，小莉笑笑，把筆放下：

「還是讓我丈夫填吧！我約了他來，讓他付錢，他還會比較高興。」便起身到店門口張望。大概跟客戶沒談完，已經六點五分了，大勇還沒到。

「您可以順便參觀一下啊！看看有什麼其他滿意的東西。我們的店很大，有三層呢！」老闆得意地帶小莉上樓參觀。

◉

小莉才上樓，大勇就到了。

知道自己老婆有遲到的毛病，他沒問，一個人在樓下逛，走走走，看到一套不錯的皮沙發。

「會不會就是小莉看上的？」大勇心想，正好有位店員走過來。就問：

「請問這套沙發怎麼賣？」

店員眼睛一亮，遞上名片，握著大勇的手說：

「您眼光眞好，這是德國原裝進口，眞皮壓花紋，不軟不硬，冬天又不會涼，我們最近連賣三套，剛剛一位小姐，才又訂一套，這是最後一套了。」靠近大勇，小聲問：「您刷卡還是付現？」

「付現。」

掏出小計算機，飛速地敲了幾下，伸到大勇面前：「年關到了，我不賺您的錢，打七折，十九萬六！」

【想一想】

這個故事我不往下寫了，因為下面的情節真要命。

可不是嗎？當小莉下樓，知道大勇問的價錢，會有一番怎樣的場面？

她會不會先把老闆罵一頓，用十九萬六買下那套沙發，再去找老朋友阿蓮。

她會告訴阿蓮上當了，還是責問阿蓮：「妳是不是跟老闆串通了，拿回扣？」

她會不會猜，前一天，她才離開阿蓮家，阿蓮就打電話給家具店說：「我給你們介紹，那多報的，算我的佣金。」

又或者，她能很冷靜地跟阿蓮一起推敲，終於想通——其實是

阿蓮的設計師拿了回扣。

只是，設計師固然拿了阿蓮買沙發的回扣，如果小莉不察，家具店就多賺了一筆「設計師不知道的錢」。

◉

這種因為一人上當，造成一群人上當的事真是太多了。

當辦公室裡最精明的人好像買了個好東西的時候，大家都盲目地跟著買。精明的那個人一味自誇有本事、有門路，更增加大家的信心，於是拖了一大堆笨蛋下水。

人們上當，常因為懶，那懶又常由於對自己沒信心。

於是買東西，要問買過的人，或請那人介紹；裝修房子，也要找朋友介紹，心想那朋友既然裝了，而且滿意，一定不會差到哪裡

去。

這就好比打仗時躲在別人後面衝鋒，以為有前面的人擋著，比較安全。豈知敵軍正好瞄準前面人，一槍打穿「一串」。

◉

記住！

人性是：當他買貴了東西，他只希望你一樣買貴，因為如果你也買貴了，表示糊塗的不止他一個人。

更進一步，如果大家都買貴了，他就不覺得貴了。最起碼，大家同樣遭遇，一起作「冤大頭」，也有個伴，可以聯合抗爭。

其次，一個人跟你炫耀他買的東西時，只會誇大，不會縮水，你照他誇大的價錢去買，只可能上當。

所以無論多麼「有辦法」的朋友介紹你買東西，你最好都能多打聽幾家，或是「隱姓埋名」，以一個陌生顧客的身分去談談。就算你談的價錢比較貴，不是只能證明那朋友確實棒，對你自己毫無損失嗎？

最重要的是：

你要獨立思考，不可凡事依賴。

你到底該用自己的眼睛，還是用別人的眼睛？甚至別人朋友的眼睛，看這個人生的戰場呢？

當撒旦頭上有了光環，
你還能不下地獄嗎？

小袁的艷遇

「屋漏偏逢連夜雨。自從政府掃蕩色情，晚上的生意已經不好做了，又來個週休二日，連上班族的生意也少了一天。」小袁狠狠地拍了拍方向盤，咬了咬牙：「一早七點鐘出門，除了順路把老婆送去上班，八個鐘頭跑下來，六百塊都不到。幸虧老婆還有收入，否則連給岳父的『規費』都不夠。」

想到這兒，小袁摸摸口袋裡的兩萬塊，今兒晚上又該付規費了。其實也不是什麼規費，只是按時還岳父錢罷了，也幸虧有老岳父幫忙，才能買下這輛新車。

要不是新車，只怕生意還更差呢！現在的客人眼睛尖得很，一堆空車，會專挑新車招手。

果然，五十公尺外一個穿迷你裙的小姐已經伸出長長的胳臂。小袁猛踩油門，連超兩輛車，再向右打，唰！準準地停在那小姐面前。

門開了，探進個漂亮的臉，小袁心一跳。

「我要去台中！」

小袁的心又一跳：「請進！」

「你有沒有駕照？」小姐沒進來，盯著小袁的眼睛看。

小袁怔了半秒：「哦！有。」掏出駕照亮了一下。

「不夠！我還要看行車執照和身分證。」

小袁有點火，但是想想是去台中，硬把火壓下了，摸了半天，摸

出行照和身分證。

◉

「你們男人最混蛋了！沒一個好東西，我不能不小心。」車子上高速公路，女人開始罵：「我怎知你是不是偷車害人。」

「妳爲什麼把人都想得那麼壞呢？」小袁調了調反光鏡，看到那對呼之欲出的奶子。

奶子上下起伏著：「得了吧！你知道我爲什麼到台北嗎？」

「不知道。」

「我是來上班！上班，你懂吧？一個老客戶找我來，進了賓館、辦了事，他老兄居然先溜了。」拍了一下大腿，好清脆的一聲：「我他媽的不但沒賺半文，還丟了一隻勞力士錶。」用長指甲戳了戳小袁

的脖子：「喂！你說，我衰不衰？」

「有……有……一點……」

「什麼有一點？我衰透了！」小姐轉過身，摸小袁車上掛的小熊：「這小熊不錯嘛！你老婆掛的？」

小袁沒答話。

「我知道絕不是你掛的，你們男人要掛也不會掛粉紅色的。」小姐自言自語地說。突然轉回來，放大聲音：「男人都很假、很色、很壞，我以後要好好修理男人。」

「妳能找到那個騙妳的男人嗎？」小袁笑笑。

「我？我不必找，男人會找我。」小姐靠著車門點起煙，小袁討厭煙味，偷偷按鈕，把後面車窗打開一點。

肩膀突然被狠狠推了一把：「喂！你小心一點好不好？」

才發現小姐的一雙玉腿，居然伸到車窗上，還正用腳尖畫來畫去呢。

◉

車子沒進台中市，就在一家賓館停下，小袁心想：「真是上班的小姐，出了那家、進這家。」

小姐沒下車，坐著不說話。

小袁回過頭看她，指了指計費錶。

「我沒錢，錢都被那王八蛋偷走了。」

「沒錢？」小袁叫了起來。

「你叫什麼叫？」小姐吼得更響：「你叫警察啊！我也是被騙

的！」聲音一下子又柔軟了，把大大的胸脯探到小袁身邊：「這樣吧！看你也滿可愛的，我換個方法謝你，好不好？算來你可是賺的喲！」

小袁可以聽見自己怦怦怦的心跳。想想老婆，老婆遠在台北。想想車錢，反正泡湯了。再看看這女人，還眞漂亮。

◉

小姐一進房間就去洗澡了，小袁先坐在牀邊，又站起來繞了兩圈，聽那小姐在裡面唱歌，還不難聽，是「金大班的最後一夜」。

「其實論貨色，我今天眞是撿了便宜。」小袁得意地對鏡子笑笑：「一度春風。」

小姐圍著浴巾出來，細細長長的腿，髮梢濕濕地垂在雪白的雙肩

上。

「還不快去洗澡？」小姐居然動手幫小袁脫了衣服。

「眞沒想到能有這麼個艷遇。」小袁一邊淋浴，一邊想「以前常聽說開計程車會遇到怨婦或花癡的女人，今天總算碰上了，而且這麼美。」

洗完，也圍條浴巾，哼著「金大班的最後一夜」出去。

拉開門，屋子裡空空的，女人不見了。

小袁大驚，牀上、牀下、櫃子裡，四處找，找不到自己的衣服。外套、褲子、襯衫全不見了，連內衣、鞋子、襪子和浴巾都沒留下。

小袁拉開門大叫。

女服務生跑來，看他光溜溜的，嚇得又退了出去，換個男人跑過來：

「要不要報警？」

「不要！」小袁一揮手。眼前浮起老婆和岳父的畫面。對了！還有那兩萬塊錢。

小袁驚恐地衝出大門，衝到停車場。

「我的車呢？」小袁瘋狂地喊。

【想一想】

多倒楣的小袁啊！光溜溜地圍一條浴巾，站在停車場哭喊。

車錢沒了、艷遇沒了、小姐沒了、衣服沒了。衣服裡的兩萬多

塊錢和行照、駕照、身分證全沒了。

到最後，連車子也被那漂亮女人開走了。

小袁該怎麼辦？他怎麼回台北，又怎麼向老婆和岳父交代？

就怪小袁太不小心啊！那小姐不是早說了嗎？她被男人騙了，要找男人報復。說完沒多久，就用那男人騙她的方法，修理了小袁。

小袁怎麼沒聽懂呢！

當然，那女人說不定也早有圖謀，否則她何必在上車前查驗小袁的證件，如果不巧地，「牌照登記證」也落到她手裡，只怕這時候她已經把車子開進了當舖。

她會不會心想：「你們男人沒一個好東西，都很假、很色、很壞，我這是替天行道。」

我相信，她很可能這樣想。因為做壞事的人，都會為自己的「惡行」找個「安心的藉口」——

「我偷你，是因為你居然為這點車錢，就佔我便宜。」

「我搶你，是因為你們有錢人，錢的來路都不正。」

「我殺你，因為你們猶太人是寄生的老鼠、德意志民族的公敵！」

有了這樣的藉口，少則一、二人受騙，多則幾千萬人喪生。

問題是，你反過來想，小袁難道沒有為自己的惡行找個「安心的藉口」嗎？

他不是想「車錢反正泡湯了，看這女人，還真漂亮。論貨色，還撿了個便宜」嗎？

這正是我要討論的重心。

我們常說「得理不饒人」，那不饒人的不見得是好人，更可能是壞人。今天你理虧，遇到好人都好辦，如果遇上壞人，就完了。

問題是，我們常常犯小袁那種毛病，結果明明是壞人欠我們的，卻因為被壞人設計，不但自己吃了大虧，而且落得他有話講——

反正你也不是什麼好東西。

不錯！壞人是會設計，壞人設計壞點子，使好人產生歹念，落入他的圈套。

就像遇見「金光黨」。你沒有歹念，你會上當嗎？

想想這些例子——

一、

某人總在你門前違規停車，你氣極了，去刮他的車，偏偏被他抓到。

於是你進了警察局。

二、

老闆漫天要價、騙客戶、造假帳，你想想他的錢也得來「不義」，便在數字上做手脚，偷一筆，偏偏被他查出。

於是，你被告侵占。

三、

某人明明家裡有錢，卻欠債不還。有一天你把他抓住，逼他還，

他說「你打電話給我老婆啊！說她不拿出錢來，你們就不放我」。

你才照辦，警察就上門了。你被戴上手銬，起訴的罪名是「擄人勒贖」。

結果，你非但沒能討回他欠你的錢，反而為了求他配合，講幾句有利你的話，而倒貼一筆。

四、

工廠欠員工薪水，老闆明明家裡有錢，卻惡性倒閉，你們群情激憤，把老闆圍起來，直到他簽字承諾補貼員工損失，才放他走。

你們高高興興回家睡大覺，以為「平反」了。

豈知沒多久，你們都被抓。不但老闆「在脅迫下的簽字不算」，而且你們統統以「妨礙人身自由」被起訴。

◉

記得我在《點一盞心燈》裡寫過兩個真實故事——

一個女人告某人強暴，辯護律師問「妳有沒有用力掙扎、拉他的衣服、扯他的頭髮？」

女人說「有」。

於是女人敗訴了。因為那人是戴了假髮的禿子。

還有一個故事：

某國家內亂，叛軍把一批不合作的老百姓射殺了。在國際調停人來查看之前，政府軍為了醜化叛軍，特別將屍體的衣服脫掉，說他們是先被剝光，再槍殺的。

國際調停人看出了破綻，於是不但沒採信政府軍的指控，反而

認定政府軍撒謊，而倒向了叛軍。

◉請千萬記住！

當你已經「站得住」的時候，就別再添油加醋、編織任何謊言，使自己的「理直」成為「理虧」。

你一定要用合法的方式，對付那些犯法的人。而不是自己去執法，造成自己先犯法。

你尤其要防備那些小人，千萬別讓把柄落在他們手上。

當小人發現「法律」有一天居然能站在他那邊，就如同被收編成「正規軍」的土匪，特別殘暴。

當撒旦頭上有了光環，你還能不下地獄嗎？

說「我該死」的總是先升官，
說「我沒錯」的總是先滾蛋。

「哀」兵必勝的老廖

「這傢伙漆得不錯。」小林一早就整個屋子檢查一遍，比較暗的角落，還用手電筒照了照。興奮地對太太說：「這種老闆帶頭，又完全是自己班底的人就是不一樣。又便宜又快！」

「是啊！上次找的那個姓孫的設計師，工人每天五點半就下班了，多一分鐘也不幹，哪兒像這個老廖，由早到晚拚命幹。」

正說著，電鈴響，林太太過去開門，嚇一跳。

門口站個又高、又胖的女人，肩上扛著一大綑東西。

「讓！」胖女人喊。林太太趕快閃開，胖女人就扛著東西往裡衝，

後面還跟進一個，是老廖。砰的一聲巨響，兩個人把扛著的東西扔在地上，整個屋子都震了一下。

「我太太昨天傷了，這是我太太的姐姐。」老廖一邊擦汗，一邊介紹：「她力氣大，鋪地毯非她不成。」

那大胖女人便嘿嘿地笑笑，腰上掛的一大圈工具，發出叮鈴噹鋃的聲音。

「多久可以鋪好？」小林探頭過去：「不會又搞到三更半夜吧？」

「不會。」老廖氣喘吁吁地蹲在地上，把地毯往屋子一頭推。抬起頭笑笑：「您放心，下班的時候，進門保證把你美死。」

◉

可是才進辦公室沒多久，小林就接到太太電話：「我看那個女的不太行吔！個頭大，可是沒力氣。」電話那頭傳來太太操心的聲音：「我看他們扯來扯去，扯半天，都對不準。現在在切了，我眞怕他們切不直……」

「妳放心啦！人家是專家，鋪壞了他負責。」小林急急地掛了電話，還猛搖頭。

隔兩個鐘頭，電話又響了。

「我看你還是回來一趟。」林太太在那頭喊：「那女的腰上掛一堆東西，又蹲在牆邊鋪地毯，轉來轉去，身上的東西就在牆上刮來刮去，把剛漆的牆壁又弄髒了。」

「會嗎？刮髒了叫他弄乾淨，反正是他漆的，妳不用操心啦，錢

在我們手上。」小林喊過去：「做不好，不給錢。」小林又搖著頭掛上電話，還對旁邊同事攤攤手：「我太太呀，就是瞎操心。」

◉

可是小林下班，才進家門，就跳了起來，指著牆壁對老廖吼：「你你你，你來看看，這四周全弄得這麼髒。」

「是啊！我不是跟你說了嗎？」林太太皺著眉出來。

「林先生，您別急。」老廖一邊繞著客廳的牆壁看了一圈，一邊鞠著躬說：「是有弄髒，我一定把它弄乾淨。」接著瞪了胖女人一眼：「都是妳不小心。」轉身過來，笑著問林太太：「對不起！您有沒有擦手紙，我要，多一點。」

林太太飛似地找來一大捲擦手紙。

便見老廖和那女人先把紙一張張弄濕，再拿到牆邊擦。

「這能擦得乾淨嗎？」小林也加入，幫著用濕紙擦。

「應該擦得乾淨，我用的壓克力漆是上好的，防水。」老廖狠狠地擦著牆壁，搓出一堆紙屑。

剛擦完，濕的時候，看來確實乾淨了。可是才一下，水乾了，又露出一條條髒痕。

老廖倒是沒等小林說話，就主動講了：「不行，這是金屬的刮痕，幸虧昨天還有剩下的漆，麻煩您給我一堆舊報紙。」接著轉頭對胖女人吼：「還不把妳腰上掛的東西摘下來？妳看看！全得重漆。」

◉

八點多了，早燒好的菜都涼了，小林也餓得受不了，先去吃了。

回頭看那二人還趴在地上漆，有點不忍，過去客氣了一下：「你們要不要一塊兒，隨便吃點？」

「不用！不用！」老廖抬起臉，頭髮上都是油漆：「我們不餓。」

隔一下，又跑來餐廳，囁囁嚅嚅地問小林有沒有不用的毛筆。

「要毛筆幹什麼？」小林問。

「因爲地毯已經鋪好了，靠地毯的地方不能用滾筒漆。」

小林找了半天，只找到一枝上次去大陸，朋友送的新筆。

突然電話響，老廖的太太打來的。先聽老廖小聲地說，漸漸愈來愈大聲，居然在電話上吵起來。

「去妳媽的笨老姐，跟妳一樣笨。」老廖正吼呢，就聽砰一聲，那胖女人衝出門去。

老廖沒追，繼續悶著頭做。

十點，小林送過去一塊蛋糕，小聲問：「跟太太吵架了？」

十一點，老廖敲小林臥室的門。兩口子出來，跟著看了一圈。沒說話，點點頭。

老廖遞過帳單，低著頭走開。

林太太把早準備好的錢交給丈夫，小聲問：「要不要扣他的？」

「算了！」

小林走出去，把錢放在老廖手裡。看老廖連連鞠躬，又彎著腰出門。

「好像還是沒弄乾淨吔！」林太太站在客廳，對著牆說。

「我知道。」小林說。

「好像地毯上也滴了漆。」

「我知道。」

「好像你的寶貝毛筆毛都掉了。」

「我知道！」

「好像地毯邊上切得不平。」

「我知道！」

【想一想】

請問，明明沒做得滿意，小林為什麼付錢？他在辦公室不是說「做不好，不給錢」嗎？為什麼還是給了呢？

又請問，如果換作你，你給不給？

八成會給，對不對？

人都是有情的。看人家連著累了兩天，太太傷了、大姨子跑了，兩口子吵架了，而且累到夜裡十一點都沒吃飯，他沒不認錯，他也沒不盡力，他力氣就這麼大，你還好意思多說嗎？

◉

多少人裝好新門，發現門框不正，門鎖對不準。每次鎖門，都得用力往上提著把手，才鎖得上，只好請木匠重修。

多少人鋪好新地板，發現有縫，把襪子都刮傷了，只好請師傅撬起來重整。

多少人窗子裝好了，發現旁邊木條沒釘準，於是請木匠把釘子拔起來重釘。

沒錯！門是對正了，但鎖孔往下移，上面門框缺了一塊。

地板沒縫了，但撬起來的地方，有了榔頭的痕跡。

木條對準了，但拔起舊釘子的地方，留了一個難看的洞眼。（雖然補了木粉，還是掩不住。）

你愈看愈不順眼，又有什麼辦法？

◉

記住！

這世上許多東西，你只能事先防範、作好徵信，而難以事後補救，因為怎麼補救都不可能完美。就如同小林，他不能總想「錢在我手裡，做不好，不付錢。」而應該在一發現有問題的時候，就喊停。

想想，如果在老廖還沒鋪好地毯的時候，你發現切歪了，喊停，他能不修正嗎？

如果發現牆壁弄髒一點點的時候，就糾正，他會繼續犯錯，又那麼難收拾嗎？

偏偏你沒叫停，東西完成了——地毯已經黏下去，雖然有些地方切得不夠直，還勉強過得去。牆壁重漆之後，髒痕也不見了，雖然地毯沾到一點油漆，吃燒餅哪有不掉芝麻的呢？

請問有幾個人狠得下心，叫老廖把地毯揭起來換塊新的？老廖是會破產的啊！

尤其在中國人的社會，一個人蓋房子，多加一層違建，你在他蓋的時候就取締，人人會叫好。但是當他已經完工、搬進去，又怎

麼看都像個正式的樓層時，你再去拆，就難免有人說「得饒人處且饒人」、「不要暴殄天物」之類的話了。

許多人吃虧，都因為他們事先自認為可以很「無情」，到頭來卻不能不「有情」。

也就有許多人知道，怎麼利用對方的「有情」，幫自己脫離困境。

◉

現在再讓我們換一個角度來想，如果今天犯錯的是你，你該怎麼辦？

我應該強調：這正是我寫作這一章最主要的目的。

因為我處處發現，剛進社會的年輕朋友（甚至包括一些「老」

朋友），犯了錯，主管罵下來，總要想辦法辯解。

大概是在家裡跟父母、兄弟強辯慣了，有理沒理都要辯，卻沒搞清楚，現在你進入了社會，你的長官不像你的老爸老媽那樣諒解你。你辯，只可能給自己找麻煩。

當你沒理的時候，還文過飾非，等於表現固執、蠻橫、是非不分、不負責任。

有哪個長官會喜歡這樣的部屬？他如果讓你過關，他還怎麼帶別人？

話說回來，當你有理的時候，你強力反擊就對嗎？老闆理屈，應該當面向你道歉？就算他發現錯的是他，不是你，你是被冤枉的，他又會欣賞你的態度嗎？

記住！「理直氣和」，而非「理直氣壯」。尤其對長輩，你愈理直氣壯，他愈可能老羞成怒。有些聰明人，甚至知道在老闆氣頭上的時候，就算自己有理，也先認錯；等老闆氣消了，發現錯的是他自己，主動對你說「錯怪了你」。或是另外找機會，私下對老闆說：「其實，上次那件事，會不會也有可能……」

◉

相信，你一定在日本影片裡見過，犯了錯的部屬對著長官和同事，鞠九十度的躬，痛哭流涕地認錯，一副要「切腹自殺」以謝國人的樣子。

他們多麼「知恥近乎勇」啊！

其實，那是因為他們聰明。你可曾聽說有哪個公司的小職員因

錯自殺的？跳樓的往往都是公司的高級主管哪！

所以，當你出了錯，與其「推諉過失」，使自己成為「衆矢之的」，不如乖乖認錯，表現出「痛改前非」、「洗心革面」的樣子。

事情做壞了，你可以自請加班，設法補救；文件遺失了，你可以翻箱倒篋，整夜留在辦公室找。

你可能怎麼加班，都無法把事情補救過來；你也很可能找個兩天兩夜，都找不到。

但是，就跟老廖一樣，你可憐的低姿態，會漸漸得到同情。

最後，老闆過來，當著一屋子同事的面，拍拍你：

「回去好好休息、休息吧！」

是滿屋子同事的「同情」，使老闆不得不過來拍拍你。他拍拍

你，對他也有好處——讓大家知道，老闆還真是有情啊！

比較一下，你是當面強辯，讓老闆難堪，把你踢出公司好呢？還是讓老闆過來拍拍你的肩？

何況，他心裡（甚至你同事的心裡）正在想：「這個年輕人，知錯能改，而且不眠不休，又能服從負責，是個可造之才。」

下次升官，或許正是你呢！

◉

現在讓我們再看大一些。

如果你是政治人物，就更要懂以上的道理。

你辦運動會，出了大的意外，就算你有一百個理由，不是你的錯，你最好別說。因為事情發生了，人人見到血淋淋的場面，大家

若非「可憐受傷的人而罵你」，就是「也可憐你，到頭來只怪老天」。

所以，你不如引咎辭職。你的辭職表現了你的負責，甚至表現你的氣概，你只會得到群衆的掌聲——「這個人有擔當！」

再舉個例子：

如果你作外交部長，別人跟我們斷交，你是留在國內解釋「只怪小國無外交」，讓民意代表天天質詢、記者天天訪問、人民天天責問。還是應該立刻「席不暇暖」地飛渡重洋，到那個要斷交的國家據理力爭，且在無法挽回時，為了自己的國格而「壯士斷腕」、昭告天下「我們的堅持」？

你能不畏戰地走出去，甚至「明知不可而為之」地走出去，只

可能得到全民的掌聲。那斷交對你的壓力，反而成為助力，不是嗎？

◉

用「積極行動」取代「消極哀嘆」；以「勇於改過」取代「擅於強辯」；用「低姿態」爭取「廣大的同情」；用「拖延戰術」取代「當面對決」。

大到治理國家，面對一國的人民；小到鋪一塊地毯，面對一家的客戶。

天下的道理都是一樣的！

害跳傘專家摔死的，
常是製傘的小工人；
害整個公司垮台的，
可能只是一個接線生。

多甜美的黃小姐

「我找游老闆說話。」老丁氣急敗壞地說。

接電話的是位聲音甜美的小姐：「對不起，游老闆不在，他出國了。」

「那麼，我找他的副手，那個……那個趙……」

「噢，您說趙協理是吧，他也出國了，我們全公司都出去度假旅行了。」

「這怎麼得了？」老丁跳了起來：「你們代理的東西有毛病，好幾個客戶都來找我……」

「我知道了，您是丁老闆，對不對？」

「妳怎麼知道我姓丁？」

「我當然知道了，您是我們最大的主顧，也就是我們的衣食父母啊！丁老闆好！」

甜甜的聲音傳過來，讓老丁一下子舒服多了，放緩語氣問：

「妳是誰？妳說你們公司都出國了，妳爲什麼還上班？」

「我可憐啊！我姓黃，剛來兩個多月，小角色，您丁大老闆當然不知道我啦。現在辦公室就我一個人留守，您的事我能幫得上忙嗎？」

「妳怎麼幫？」丁老闆想了想：「妳有他們國外的旅館電話嗎？我打過去。」

「有是有，不過他們去歐洲，才上飛機，還在飛機上呢！您等一

下，我找來給您，您可以明後天再打過去。」

「好，妳去給我找出來。」老丁握著電話等，一邊翻桌上亂成一堆的文件，想起前兩個禮拜好像收到游老闆的信，說是公司度假，只怪自己沒注意，這下麻煩了。

「找到了！找到了！」那頭傳來黃小姐清脆的聲音：「您有筆嗎？很長的號碼。」

老丁細細地記下來，還誇獎了黃小姐兩句：

「妳真不錯，也真可憐，一個人留在辦公室看家，我下次要跟老游說，就算是新人，也該帶著一塊兒去。」

黃小姐興奮極了，聲音也更嗲了：

「謝謝丁老闆的愛護，全靠您照顧了。真對不起，沒能幫上您的

忙。」

「這不怪妳。謝謝啊！」

正要掛電話，黃小姐突然叫：「您等等，您等等，您何不打個電話給David呢？」

「David是誰？」

「就是在新加坡製造我們這種機器的人哪！」

「妳有他的電話嗎？」

「當然有，我們老闆一天到晚打電話給他。」

◉

才掛下黃小姐的電話，老丁就撥去了新加坡，果然找到了David。

「對不起，打擾了！」老丁自我介紹：「我姓丁，從台灣打電話，

因爲找不到總代理的游老闆，機器又出了問題，只好直接找您。」

「不會是開關的問題吧！」David劈頭就問。

老丁一驚，又一火：「是開關的問題。」

「我不是早就運了一批新開關過去，叫游老闆爲客戶換嗎？」

「我不知道這事，只曉得我的一大堆客人這兩天都來跟我抱怨。」

「其實出問題的比例並不高，你有多少客戶抱怨？」

「我最近賣出去一千一百台，大概有二十多個說開關有問題。」

「你一家就賣出一千一百台？」

「是啊！」老丁好奇地說：「算賣得多還是賣得少的？」

「游老闆這次總共才進一千五百台。」David的語氣突然由冷淡變得熱情：「請問，他賣你一台多少？」

「四千五。」

「四千五？」David叫了起來。

「貴了還是太便宜了？」老丁追問。

「丁先生。」David的聲音一個字、一個字地傳來：「我覺得游老闆的售後服務太差，他沒有好好做，我們跟他的約再過兩個月到期，如果您感興趣，就換您作總代理吧！我保證您划算得多。」

【想一想】

請問，David為什麼憑老丁一通電話，就決定換碼頭？

是因為他發現游老闆沒有作好售後服務，有傷總公司的信譽？

還是因為他發現游老闆賣得太貴、賺得太多？又或是因為他發現游

老闆根本沒有好好推銷，主要的客戶竟然只有一家，也就是老丁？

答案應該是：都算原因。

我們要知道，許多製造商，在全球各地都有當地的「獨家總代理」。製造商只忙於製造，不一定清楚那些代理在搞些什麼名堂。

豈知許多代理商的大客戶不過幾家，他靠那幾家就夠吃了。他不會讓那「幾家」知道實情。那「幾家」也總以為自己只是個小買主，凡事都規規矩矩地找「總代理」。

原則上，製造商為了避免一大堆困擾，他們常不喜歡小客戶直接越過代理找上門。當你私下去找製造商買東西的時候，常常反而比向「代理商」買得還貴。

這是因為他們要分層負責。

但是，當老丁和David的情況發生時，就不同了。

◉

記住！

人性是當你賣房子時，一方面希望減少麻煩，增加「買主」，而找仲介商。一方面又總想著，如果有個私下自己來看房的人，在「託售」的時間結束之後，再來買，可以省下佣金，多賺不少。

所以房屋仲介最痛恨那種找他們帶看房子，卻又私下對屋主說「等時間過了，我們再私下談」的客戶。因此，他們不會願意把屋主的電話給你。

同樣的道理，當你問雜貨店：「你們的牛肉乾是向哪裡買的？給我聯絡電話。」

他會給你嗎？他會讓你知道，走路五分鐘，就可以找到中盤商，買到七折的東西嗎？

如我前面所說的道理——

當你找到中盤商，甚至找到牛肉乾工廠，說「我要買四兩牛肉乾」時，工廠的人忙得要死，一定會說：「請你去零售店買。」

只是，當你說「我要買四百斤」的時候，情況就不同了。

◉

現在讓我們回頭看老丁的故事。

游老闆在帶著同仁歡樂旅遊時，豈知道「天已經變了」？

誰讓他變天？

黃小姐！

黃小姐又豈知道自己多嘴一句，就使她全公司，甚至她自己的飯碗都砸了呢？

黃小姐豈知她犯了商家的大忌——

把上游工廠的資料給了下游的客戶，而且，給了大客戶。

「不知道什麼能說，什麼不能說。」這是社會新鮮人常犯的大忌。它害人害己，而且破壞了商業倫理。偏偏有些老狐狸，專找這種新鮮人下手。

為了讓大家更深一層了解，我不得不請您看下一個故事。

小心留下脚印

「奇怪！已經過二十分鐘了，爲什麼陳老闆還沒到？他一向很守時啊。」李老闆心想，接著拿起電話，撥過去：

「喂！我是李老闆，跟你們陳老闆有約，他出來了嗎？」

「他早走了，急著到工廠去了。」

「急著到工廠？」李老闆放下電話，有點納悶。中午吃飯的時候，跑去工廠幹麼？難道最近這批貨出了問題？立刻從電腦上看庫存，可不是嗎？前天就該進來的貨，爲什麼今天還沒到？

李老闆把脚放到桌子上，一邊豎著耳朵聽陳老闆進來沒有，一邊

推敲這件事，突然飛快地把脚放下來，將電話撥給工廠。

接電話的是康廠長。

「康廠長！老陳走了嗎？」

「走了二十多分鐘了。」

「事情解決了嗎？」

康廠長好像一怔，隔了兩秒才答：「解……解決啦。」

「喂！老康！」李老闆把聲音沉下來：「我可不跟你開玩笑，有毛病的東西，我一定退件。」

「能改啦！能改啦！我們正在想辦法改。」

「改？怎麼改？」

「外殼拆下來，把多的那一分磨掉，再裝回去。」康廠長的聲音

居然有點發抖：「您放心啦！一定看不出來。」

「看不出來？我今天下午就過去看。」李老闆吼了回去。

才掛電話，就見陳老闆笑嘻嘻地走進來，還一邊拿手帕擦手，敢情剛上完洗手間。

「對不起！對不起！」陳老闆一邊揮手，一面不斷搖頭：「無巧不巧，臨時來了個美國客戶，把時間耽誤了。今天罰我請客。」

◉

陳老闆也真夠意思，本來說到旁邊隨便吃點，現在特別由他請，到泰國魚翅餐廳。

先上排翅、再上鮑魚，接著「咖哩瑤柱」和「翠玉絲瓜」，新鮮水果之後，還有高級甜品。

「害你破費了，眞不好意思。」李老闆一邊品嘗燕窩雪蛤，一邊笑著對陳老闆說：「不過你也眞該補補，你最近太忙了。」

「是啊！是啊！」陳老闆直點頭：「忙死了！」

「那多一分的問題解決了嗎？」

「什麼多一分？」陳老闆的湯匙「叮」一聲撞到碗邊。

「哎呀！」李老闆伸手過去，拍拍陳老闆：「咱們是老朋友了，對不對？我今天找你，原來打算再跟你多訂一批貨。可是，可是做生意講誠信。你老兄就算知道我沒時間親自驗收，也不能把出了毛病的東西，渾水摸魚往我這兒塞啊。」

陳老闆的臉一下子白了，又紅了。

李老闆攤攤手：「你把多出的那分磨掉，裝回去怎麼說都不是十

全十美的，對不對？」

「是的！是的！」

「這麼辦吧！這批貨我先去檢驗，看老朋友的面，如果還過得去，我照七折收。」李老闆又拍拍陳老闆的手：「至於下面這筆大訂單，就等這批貨處理完再談吧！」

【想一想】

請問，陳老闆會不會讓步，乖乖打個七折。

那批出問題的貨，只要磨一磨，裝回去，不「非常小心地比對」，誰也看不出來。李老闆要不是聽說，絕不可能發現。

陳老闆為什麼會甘願照七折賣呢？他很可能賠錢哪！

因為正如李老闆所說——

做生意，講誠信。出了問題，就是出了問題，不能渾水摸魚、混過關。

更有一個原因——生意不是一天的，今天這件事搞砸，以後的大訂單可能全砸了。

原來不會出問題的事，怎麼會落得這個下場？陳老闆該怪誰？

怪康廠長做錯了東西，又被李老闆套出了實情？

還是只怪某人多說了半句話？

「他早走了，急著趕到工廠去了。」

老闆不在辦公室，你有必要跟外人說他到哪裡去了嗎？

問題是，這社會上有多少人，就不懂得少說這麼「半句話」。

只要說「對不起！他現在不在位子上」的情況，有必要講「對不起，他去上廁所了」嗎？

只要說「對不起，他二十分鐘就會回來」的情況，有必要講「對不起！他去銀行結滙」嗎？

◉

要知道，人是非常敏感的。他能抓住每個蛛絲馬跡，分析、比對，然後猜測、查證。而許多事情被「搞砸」，或被拆穿，都因為旁邊人一句「無心之言」——

爸爸的朋友打電話找爸爸，小孩說：「爸爸剛出門，去銀行存錢。」

偏偏那朋友是要找爸爸借錢。

「對不起，我最近也很緊。」爸爸這樣回那朋友時，對方冷冷撂過來一句：「你不是才去銀行存錢嗎？」

◉

公司的客戶打電話找老闆。秘書說：「老闆出去打球了。」

接著那客戶用大哥大找到老闆，老闆推說：「對不起，我這陣子都忙。」

那人便冷笑一聲說：「是啊！正忙著打球吧！」

◉

我有個朋友，找與他往來的下游廠商，對方公司的人說：「他不在，去號子了。」

我這朋友居然不願意跟那人增加生意往來的額度，理由是——

他上班去炒股票，一定炒不少，有一天倒了，一定跳票。

◉

有個商場上的朋友，只因為聽到承包工廠業務員去向他收款時的一句話——「最近公司多添三部機器，偏偏景氣又不好，所以以前不接的生意，現在也得接了。」

這朋友跟著打電話給那工廠的業務經理說：「聽說你最近給新客戶的價錢都降了，為什麼不主動通知我，你是欺侮老客戶嗎？請你重新估價。」

那公司的業務經理被抓住小辮子，搞不清是哪家走漏的消息，又得罪不起大主顧，只好重新估價，居然一下子降了一成。

◉

讓我們回頭看看這些故事。

請問，那許多公司的人，能知道問題出在哪裡嗎？

也讓我們檢討一下，是不是我們常有個毛病，就是在回答「我不在」或「他不在」的時候，多加一句「到哪裡去了」？

豈知僅僅這麼一句多說的話，就造成了變天。

◉

在這個治安敗壞的社會，每個小朋友都應該學會說「爸爸媽媽現在不方便接聽，請您留下電話」，而不是毫不隱瞞地說「爸爸出去打球，媽媽出去買菜」。

在這個行動電話和呼叫器普遍的時代，每個主管都應該知道除非必要，只消說「我出去，下午四點回來，有急事call我。」而不必

說「我先去某處吃飯，再去某處拜訪客戶」。

在這個商場如戰場的時代，每個人在學說話之前，先要學會「哪些秘密不能說」、「哪些事情不能問」、「哪些價錢不能講」、「哪些電話不能給」、「哪些行踪不能透漏」。

記住：

你要是不說話，別人不會當你是啞巴。

你要是多說話，別人一定知道你是個好騙的傻子。

人扮豬吃老虎不稀奇，
豬扮老虎吃人才稀奇。

點火救火的沈局長

沈局長這兩年眞走運，先是調升局長，接著又有喬遷之喜。

提到喬遷，可眞是緣，那天交接酒會，李董來道喜，其實以前跟李董從未見過，居然一見如故。第二天李董就來電話，說他新蓋了一個大社區，保留了幾戶頂樓，因爲距沈局長上班的地方不遠，特別問問意思。

「您蓋的房子，我這種公務員哪買得起？」沈局長推辭：「您是太抬舉我了。」

那頭李董大笑著：「您先別急著說不啊！」接著放低聲音：「我

算您特別的價錢。」

「特別的價錢？」沈局長臉一整，不客氣地說：「李董，你大概不太清楚我的爲人，我是……」

「不！不！不！」那頭馬上打斷了沈局長的話：「我絕對沒有給您什麼特權，只因爲是剩餘戶，已經不通過仲介商，少了仲介費。最近年底，銀根緊，我也不打算賺錢，所以算您個成本價。」

「多少？」

李董說出價錢，沈局長的心猛跳了起來。

◉

「就是小了點兒。」沈太太說：「但是眞高、眞漂亮。」

「不因爲這麼小，又算成本價。」沈局長笑道：「衝咱們，不偷

不搶，能買得下來嗎？」

沈太太笑了。連司機都從反光鏡裡笑回來。

可不是嗎？在今天的官場，有幾個人能像沈局長這麼清廉？沈局長的守正不阿，是大家有目共睹的，也是他能一下子跳升局長的原因。

晚上，兩口子在燈下，把平面圖看了又看，就是做不了決定。

當主管了，屬下常得到家裡討論公事，客廳不能太小，甚至說還得有個像樣的書房，能關起門來議事。

「餐廳也得大些。」沈太太指著圖說：「你看！這麼一點點，怎麼招呼客人？能坐幾個人？連咱們一家人擠下去，都嫌小。」

「不能買。」沈局長把圖收進抽屜：「孩子大了，不能兩個人再住一間，單想孩子，這兩間臥房就不合適。」

「謝了！我跟我太太研究過，價錢我們還勉強應付，就是小了些。不合適。」沈局長在電話裡婉拒。

「怎麼會小呢？」李董喊著：「我馬上拿藍圖過去，不會小的。」

沒等沈局長再說，就急急掛了電話。不到三十分鐘，李董已經坐在沈局長的對面。

遞過一大本精美的說明書，翻開第一頁的透視圖：

「您看看！我們這頂樓最初設計就是宮廷的樣子。」李董從一樓，一層一層數到十六樓。

「原來我買的不是頂樓。」沈局長不太高興地說：「可是我那天去看，不是站在樓頂嗎？」

「您別誤會。」李董笑笑：「您當然是頂樓，否則我也不會介紹您哪！」轉過桌子，指著透視圖上的頂樓：「在我們最初的設計上，已經考慮了加建。」

「加蓋？這不是違建嗎？」

「不是！不是！」李董把「不」拉得特別長：「這是爲了完成最初設計的宮廷樣子，哪個宮殿能沒有黃瓦的屋頂呢？所以我會給您加蓋一層，比下面雖然室內小點，但是黃瓦白牆，還有個小花園。」舉起手，拍拍沈局長：「我知道您的脾氣，可以先告訴您，我只管外殼，裝潢由您自理……」

◉

搬進新居，沈局長一家人眞是開心極了。

放眼望去，幾座著名的地標和遠處的青山，看得一清二楚。眼前的陽台，既寬敞，又有花有草，還有個小小的魚池。

更好的，是滾滾紅塵的汙染，全上不來。據研究，空氣中汙染的顆粒，多半留在十樓以下。於是，沈局長坐在十七樓，每深呼吸一口，都覺得有「滌盡塵俗」之感。

當然，搬進來之後也有遺憾的地方。就是同社區相鄰的幾棟樓頂，也先後照沈局長的樣式，作了加建。

好幾位住戶，還先到沈局長府上作了觀摩。本來局長不太高興，但是礙於李董親自帶來，只好由沈太太接待一下。

此外，明明說好是住宅大樓，一樓卻不但加蓋出去，而且開起了商店，也是令沈局長不悅的。

「聽說也有別的住戶不高興，告了。」沈太太說：「已經有人來查過，大概過兩天就會拆樓下的違建。」

「噢！」沈局長點了點頭：「老李也做得太過分了。」

◉

果然第二天一早，李董就來電話拜託疏通。

「我就是辦得到，也不能爲你說話。」沈局長重重地罵過去，狠狠地掛了電話。

一上午，沈局長既沒開會，也沒見客。

近午，他把秘書孫小姐叫進去，低聲叮囑了幾句。孫小姐就匆匆出門了……

【想一想】

孫小姐匆匆忙忙出去做什麼？

我不知道，請你自己猜。

你會不會猜：沈局長自己沒出面打電話，也沒下條子，只是派人作了暗示。（這是官場文化，有一天出了事，你告他關說，他說他沒下過條子，連電話都不曾打。你說他秘書去打過招呼，他說那是秘書的事，他根本不知情，接著把秘書調職，化解了危機。）

於是沈局長樓下的違建和違規營業平安過關了，其他大樓的一樓也「有樣學樣」了；樓下的違建既然平安過關，樓頂的違建自然更穩如泰山。

當然，你也可以從另一個方向想——

只因為沈局長帶頭、沈局長護航，使整個社區都變了樣。

◉

沈局長是多清廉的人哪！

他會這樣做嗎？

他怎麼想到自己規規矩矩買房子，只是順著李董的意思，作了一些妥協，就造成這麼大的影響。

如果你是沈局長，你是不是也會買？

如果你是沈局長，你是不是也會幫一樓的人疏通？

鄰居失火了，你能不幫忙救嗎？你是寧可早點幫一樓把問題解決，還是等那把火燒到頂樓，當有關單位來拆你自己違建的時候，再出面？

到時候，不更明顯的是圖利自己了嗎？

而且，就算有關單位知道是你，不敢動，只怕那一樓被拆的人也要喊：「為什麼只拆我們？卻不敢拆頂樓沈局長的違建？」

事情不是會鬧得更大嗎？

◉

以此類推，沈局長一個人成為了多少人的保護傘？真正獲利的是誰？

當然是李董。

他只是先不賺沈局長的錢，再貼一點工料，為沈局長加蓋。卻能夠把他建的同一社區的每個頂樓，都賣上特高的價錢。

過去人家不願買，因為怕不能加蓋。

但是現在，只要跟著李董，到沈局長家走一遭，就放心了。連堂堂沈局長都蓋了，你還用得著擔心嗎？

至於一樓，原本只能住家，不能開店。而今沈局長都在「上面」違法，你在這「下面」還怕嗎？

於是一樓也賣上了特好的價錢。李董是不是賺翻了？

這件事到頭來，好像大家都賺了。但是也有人賠了——

原來以為是純住宅大樓的人賠了。賠了安寧，也賠了較可能失火的安全，或賠了較高的火險費率。

原來給十六層樓用的電梯，被十七層的人使用了。且不見多收管理費，住戶又賠了錢。

更可怕的是當有一天，發生大地震，大樓承受不了原先設計上

沒有計算的重量，而垮下去的時候，大家不但賠了房子、賠了錢，還可能賠了命。

對！還有一個人賠了。

就是沈局長，他賠上了社會的公義和一世的清廉。

◉

什麼是「狐假虎威」？這就是！

沈局長是「虎」，李董是「狐」。狐狸帶著老虎到森林逛來逛去，野獸們見到老虎全嚇跑了。老虎居然不知道是因為自己厲害，還以為是狐狸威風。

在這世界上，被狐狸利用的老虎，常常就是如此。他們甚至能終其一生都不知道，只因自己一時的糊塗，造成許多蒼生的苦難。

「狐假虎威」也不盡然壞。許多禁忌，都可能由於聰明人把老虎抬出來擋一下，而不再是禁忌。

譬如當「非常時期」，有一位出版商拿到一本「對岸」的好書，希望在台灣翻印出版。他知道以當時的禁忌，自己非倒楣不可，於是找了位黨國大老為那書寫序。

大老看看書，載的盡是故國的江山文物，本來就應該讓大家看，就欣然寫了。

於是大作出版，檢查單位沒人敢說話，既造就了一批有眼福的讀者，也造就了一位成功的出版家。

這就是好老虎碰上好狐狸。

可惜的是：這世上的好老虎總碰上壞狐狸。請看下一個故事。

丁老太太的乾女兒

丁夫人最近覺得特別輕鬆，因爲丁老太太不再那麼嚕嘛了。

這事兒全得感謝周小姐。

自從那天丁老太太在百貨公司遇到周小姐，幫她大包小包地提東西，還開車送她回家，丁老太太就像變了個人。

「我現在神了，不是嗎？」丁老太太正摟著周小姐的肩膀出來，後頭還跟著一位太太，是周小姐找來幫忙的朋友。

本來丁夫人不太願意家裡有外人。除了丈夫只用一位老司機，連傭人都寧可請菲傭，不敢用本地人，怕的是口舌。但是看丁老太太這

麼開心，既有人陪著聊天解悶，還開車帶她出去買東西，也就算了。

丁夫人也沒想到丁老太太還眞大方，從前以爲她一毛不拔，現在大概因爲有人幫著拿、帶著運，每次回來，丁老太太都好像成了聖誕老人，大家有獎。

連丁董事長的襯衫都買了，而且尺寸一點不差。

「你們別瞧不起我這老太婆。」丁老太太得意地說：「有了這個女兒教我挑，包你們滿意。」

◉

「這個姓周的是什麼人。」倒是丁董事長試新襯衫的時候問：「別把老娘騙了。」

「我也不太清楚。」丁夫人攤攤手：「不過騙是不太可能，我看

她很有錢，還給娘買了一堆衣服。都是從日本帶回來的，上好的料子。她說她的媽早死，跟咱們娘有緣，就把娘當成她死去的媽了。」

可不是嗎？才幾個月，已經左一聲媽、右一聲媽地叫了起來。上個禮拜，老太太八十三壽慶，周小姐還帶一群朋友，中午先請一頓，害老太太晚筵都吃不下了。

周小姐也讓丁老太太硬拉了來。原本丁董事長不大願意，看到自己老娘脖子上那串閃亮亮的珍珠，才不得不點頭。

第二天一早，丁夫人就問婆婆：

「周小姐送您那串珠子，挺亮的。」

老太太一笑，回房拿出來，遞給兒媳婦：「妳看看。」

丁夫人偷偷把珠子互相摩擦一下，挺帶勁，又掂了掂，夠重。遞

回老太太：「是眞的！」

「妳喜歡嗎？」丁老太太居然說：「就給妳吧！」

從此，周小姐就更受丁府歡迎了。因爲她不但帶來了笑聲，還改變了老太太孤僻小器的個性。

◉

這天下午，丁夫人要出門，司機送丁董事長上班了，正巧周小姐在。

「大嫂要出去？」看丁夫人撥電話找車，周小姐喊著：「您怎麼不說呢？我沒事，我送您。」

說沒事，周小姐還是有事的。丁夫人看見她託辭上廁所，拿著大哥大偷偷打電話，大概是回掉幾個約。

丁夫人就更是感激在心了。

「沒關係，我眞的沒事，只是原先約好要拿幾份資料。」周小姐一邊開車，一邊說。

「什麼？要拿資料？那怎麼能耽誤？」丁夫人不安地說。

「眞的沒關係。」周小姐笑笑，突然轉過頭：「對了，您要是不太趕，能不能我順道走一下，各停三分鐘就成。」

丁夫人看看錶：「可以啊！」

於是車子繞進巷弄，連走了三家，但不是公司，都是住家。出來的人也都是丁夫人見過的，曾跟周小姐到家裡看丁老太太的那些女人。

大家都很客氣，先出來向丁夫人問了安，再回去拿資料給周小姐。

「連妳的朋友都這麼有禮貌。」丁夫人對周小姐說：「她們怎麼知道我在車上？」

「大概因為我事先跟她們說要送您，她們猜的。」

「歡迎她們來玩哪！來陪陪我婆婆！」丁夫人笑道。

◉

大概忙，自從那天送丁夫人，周小姐好久沒出現了。先是丁老太太猛打電話，直操心，後來連丁夫人也擔心了，對丈夫說：

「咱們是不是派個人去看看？她單身一個人，怕出事。」

正說呢，那些見過的太太們也來了，問有沒有周小姐的消息，為什麼打電話都沒人接。

「您的事兒解決了嗎？」一位太太挪近丁夫人身邊，小聲說。

「什麼問題？」

「不是說您弟弟臨時出了點事，您一下子調不出，又不願意讓丁董事長……」看看四周：「丁董事長出去了吧？」

丁夫人一怔：「我弟弟沒出事，我根本沒有弟弟呀！」

大家的臉色全變了，一起問：

「那您急需那麼多錢是……」

「我沒要錢哪！」

◉

一輩子沒進過警察局的丁夫人，不得不陪幾位太太去了一趟。大家都跟周小姐不熟，只知道她是丁董事長老母的乾女兒。

丁老太太也去了，她哭得最傷心，因爲她原來打算留給兒媳婦的

名貴首飾，全讓周小姐拿去請專家清洗，被「清洗」一空了。

當然，除了那串先送給兒媳婦的珠子。

【想一想】

看完上面這個故事，讓我們在心裡勾畫出幾個畫面——

周小姐預謀或偶然在百貨公司攀上丁老太太的關係，並且經由各種拍馬屁的方法，使關係愈來愈親，甚至成為丁老太太的乾女兒。

周小姐也利用其他的機會認識了幾位有錢太太。

你或許要問，哪兒那麼現成，能夠結識？

這你就要想想了！世上有多少夫妻是在路上莫名其妙認識的？

「小姐貴姓？」「先生，我忘了帶錶，請問現在幾點？」「咦！我

們好像在什麼地方見過。」

交朋友的方法多了。君不見，會說話的人能因為自己或別人撥錯電話，而聊起天，交成朋友；會搞直銷的人，能由偶然問路，而抓到一個新的「下線」。

市場裡，可以由挑東西、問吃法、談品牌，聊起天；美容院裡可以因為是鄰座而打開話匣子；飛機上，可以由遞一杯茶或交換一份報紙而有了溝通。

這些地方都是彼此不知根底的。只是，當人們攀上交情，往往就忘了「調查對方的來歷」。

何況，周小姐在聊天時還左一句丁董事長、右一句丁夫人地說來說去；或聊天聊一半，突然叫起來：「我得去接丁老太太了！」

「她真認識那位赫赫有名的丁董事長？」這些太太能不心想？不懷疑？

沒關係！改天我帶妳們去。

看！我直接過了他的管家，帶妳進入丁家的大廳，跟丁夫人打了招呼，而且直闖丁老太太的臥室。

丁老太太甚至把首飾交給我，要我幫她去清洗呢！

我是丁老太太的乾女兒，也就是丁董事長的乾妹妹呀！

你能不信這位周小姐嗎？

於是，當有一天，周小姐突然來電，小聲說：「我在丁董家，丁夫人娘家兄弟出了點事，她不願意先生知道，要私下擺平，手上錢不夠，能不能跟妳調一下，只要一百萬，過兩個禮拜高利奉還。」

你會疑心嗎？

就算你不放心，周小姐接著帶丁夫人到了，又先叮囑「丁夫人要面子，別多提，只當我借的」。

你會不識相地問：「丁夫人！是您要借錢嗎？」

你當然忙不迭地進去取了。

「跑得了和尚跑不了廟！」你心想。只是這和尚居然不是那廟裡的。「廟在」也沒有用啊！

◉

野獸會從氣味、毛色、體型上來觀察同類。

人也一樣，無論我們說自己多麼不勢利眼，我們都隨時在評估見到的每個人。

我們會由對方的長相、談吐、穿著，甚至車子來猜測。也會由對方工作的地方，甚至住的地區來想像。

「什麼？你住五十樓？在紐約中城的第五街？」

你能不承認自己在心裡立刻畫了地圖？並勾出一棟摩天大樓的輪廓？且猜想：「他一定是千萬富豪。」

故事中的周小姐沒有提供自己的住處，也可能沒說出自己的公司。但是她出手大方、穿著講究、談吐不俗，更重要的，是她拿出了「豪」門最有力的「背書」。

這是另一種「狐假虎威」。狐狸——周小姐，虎——丁老太太、丁夫人，甚至可以說是「丁董事長」。

我寫這個故事，是希望大家知道：

如果你的身價不凡，你必須注意每個「可能的有心人」，你對他說的話，會被他渲染；你與他的交情，會被他誇大。你可能在不知不覺中，只因為跟他拍了幾張親近的照片、寫了一張小字條或接待他和他的朋友，就造成某些人受害。

你沒害人，人因你而被害，因為你幫「狐狸」作了背書。

如果你說「我是小人物，沒能力背書，所以與我無關」。那麼請看下一章。

美美的愛心

看到門上那個大大的紅心，美美的心也熱了起來。

熱心的人眞不少，排隊排到了門口。

負責口試的是位中年婦人，姓殷，輕聲細語地好像對小學生說話。

美美暑假也去應徵過工讀，每個老闆都板著一張臉，把你祖宗八代全調查清楚。所以看到這位殷太太，讓美美打心底覺得親切。

「不一樣就是不一樣。」她心想：「我一定要爭取到這份工作。」

美美果然入選了。殷太太居然只是盯著她看看，問美美在哪兒念書，就決定錄取她。

「其實每個人都會被錄取。」殷太太對大家說：「做我們的工作，最重要的就是有熱情、有愛心，而且年輕。」看看門外，笑笑：「那些沒能錄取的，都是年歲比較大的。他們雖然比你們更繳得起保證金，但他們吃不了那麼多苦，所以我都把他們介紹給其他慈善團體了。」

可不是嗎！美美看見那些沒錄取的人，都拿著一份慈善團體的名單走，美美瞄到一眼，都是有名的團體呢！

也看見殷太太在口試中拿起電話，打給著名的慈善機構，問他們缺不缺人，要不要義工。

◉

這份工作，其實也算義工。薪水不多，只稱得上車馬費。這是愛

心事業，有誰會計較錢呢？

至於保證金，也是有道理的。尤執行長說得好——「你代表公司出去，收了錢，如果跑掉，我們怎麼交代？」

談到尤執行長，初見的時候，眞嚇一跳。他的長相，很難形容，應該說有點像卡通裡的——壞人！

但是只聽他開口講幾句話，你就會發現「人不可貌相」了。

他的聲音好沉、好厚、好有磁性、好有悲天憫人的感動。特別是他放幻燈片的時候，以拉得長長的詠歎的調子，說：「看！這是衣索匹亞、這是塞拉耶佛、這是高棉、這是北韓……」當他說到：「這是我們身邊、就在不遠處的山地鄉」時，他雖然沒作任何形容，卻使每個人都濕了眼眶。

是的！每個人！美美一邊擦眼淚，一面偷偷看身邊的「同工」。大家年齡都差不多，都是容易感動的年歲。

◉

跟美美同組的是小咪，小咪還比美美小一歲呢！

十二月的街頭，尤其在這大百貨公司的騎樓下，人很少、風好冷。

但是執行長說愈是人少、風冷的地方愈好。

「人少，於是你們可以有時間、有安寧，慢慢跟對方介紹我們公司，翻這些圖片給他看，告訴他我們要怎樣透過文字、雜誌，喚醒更多人的愛心。」執行長說：「風冷的地方，人們愈能體會那種飢寒交迫的痛苦。記住！天愈冷、心愈熱！」

「天愈冷、心愈熱！」美美和小咪不斷彼此重複著這句話，愈是

碰上人們死板板的臉，她們愈以這句話共勉。

才一天站下來，小咪已經感冒了，直流鼻涕，叫她回去，她還是堅持。

美美的臉凍紅了。她也覺得冷，不知道是不是也發了燒。

看到一位年輕男子走過來，正要進百貨公司。她們趕快衝過去。照執行長教的，行禮、自我介紹、出示證件，並拿出雜誌。

而且要翻到「垂危孩子無助張望」的那一頁。

美美自己都覺得聲音有點發抖，加上一陣陣的冷風迎面吹來，又看到那娃娃的照片。說著說著，美美居然哭了起來。看美美哭，小咪也掉了眼淚：「幫幫這些可憐的孩子吧！」

原來冷冰冰的男子動容了，立刻掏出錢來。

「這是我拿的第一個月薪水。」男孩子一邊填寫地址，一邊興奮地說：「我原來要給媽媽買新年禮物。但我相信她也會高興見到這份雜誌，喚醒冷酷的社會。」

◉

才把「成績」交回去，美美就病了。而且是重感冒，一躺就躺了兩個禮拜。

病中她最放不下的就是工作。「怎麼向執行長交代呢？」她想：「等我上班，寧願當義工，這個月的薪水我不要了，我也作個贊助人吧！」

打過兩次電話去公司，先佔線，接著是錄音：「放年假，祝大家新年快樂。」那位殷太太親切的聲音，讓人聽了好溫暖。

年假才完，美美就去了。

公司裡裡外外全是人，天哪！原來公司不是只招一批，前前後後竟招了幾百人。

殷太太坐在她的位子上，大家圍著她。

突然，那柔聲細語的殷太太，竟然搥著桌子哭著、喊著：

「你們問我，我問誰啊？」

【想一想】

請問，在前面這個故事裡，受騙的是誰？

是跟美美一樣，既沒拿到薪水、白做了工，又賠了保證金的那幾百位年輕人？

是柔聲細語、氣質不凡的殷太太？

還是在街頭掏出幾千塊錢，以為過兩個月，就能收到雜誌的善心人？

姓尤的「毒」，就毒在這兒。

他賣的不是你能銀貨兩訖的東西，而是一種理想、一種希望、一種善心，以及一份要過好一陣子才能收到的雜誌。

於是，你可以想見，那一位把收據當作禮物送給母親的大男生，隔一陣就問他媽媽：「雜誌收到了吧？」

一次、兩次、三次，最後忍不住打電話或追到收據上的地址，才發現自己被騙了。

兩個月之後，只怕原來的「地方」，早換成其他的公司了。那

公司很倒楣，因為總有人進來打聽，然後臉色凝重地離去。

如果是你，你的臉色變不變？當你投資做生意，賠了錢，還不至於太傷心，因為有賺總有賠。但是當你發現自己的「愛心」被人利用，你就真正地傷了「心」。

你會恨誰？

恨騙你的人！恨那兩個在百貨公司前面，向你哭訴、使你動心的兩個小女孩，對不對？

如果有一天，你在街上遇到她們，你會不會過去找她們算帳？只是，你要知道，她們也是被騙的人哪！當她們站在冷風中，向你介紹「那個理想」的時候，她們所說的每句話都是肺腑之言。

這就是另一種「狐假虎威」。

◉

談到「狐假虎威」，大部分人都會想，那「老虎」必定是有財、有勢的人物，才能被狐狸抬出來唬人。

其實這世上最常被利用的反而是平凡人。

每個人都可以是「虎」。虎可以是你的工作、你的家世，甚或是——你的年齡。

當你在挑西瓜時，旁邊一位荷鋤的老農說「這個甜」，你信不信？

當一位醫生或他太太搞直銷，對你說「這種補品不錯」的時候，你買不買？

當你是一位玉器鑑藏家的兒子，有一天人家挑玉，你說「據我

看，這塊好。」他信不信？

更可怕的是：

連你的年輕、天真都可以被利用。

幫派的大哥自己不敢出面殺仇家，知道自己動手，非被判死刑不可。於是請那未滿十八歲，血氣方剛的少年出馬。

江湖上的老油條要騙人，不敢親自出面，知道自己「一臉江湖相」容易被識破，於是找那容易騙的年輕人下手。

別人不信他，但是他使你信了他。而別人會信你，於是他騙了別人。

你說，這不是「狐假虎威」，是什麼？

看了這許多，我希望你能知道，每個人都有可被利用的地方。

你要常想想自己有什麼長處、特點，一方面可以自許，一方面也要警戒——這正是容易被狐狸借用的東西。

當你搞直銷，千萬別把公司或「上線」說的「十分好」，渲染成十二分好。你怎不想想，那「十分好」已經經歷了多少層的誇大。

如果你銷的是營養食品，千萬別把它說成「救命仙丹」，甚至跑到醫院，要人放棄正規的療法，大量吃你的「好產品」。

因為你會誤了病情，這可是「事關人命」啊！

相反地，假使別人向你推銷這樣的「靈丹妙藥」，你也要想想：

他會不會因為總是參加「產品說明大會」，而有了「群衆催眠效果」，又因為不斷重複介紹同一個產品，說久了，假的也變成真

的，連他自己都搞不清真假了。

沒錯！

「好東西與好朋友一起分享」。他是你的好朋友，他也真想告訴你這大好的產品，使你能受惠。他甚至希望你一起加入他的行列，去看那麼多成功的見證。然後成為他們的一員，一起「既創業，又助人」。

沒錯！

我也相信許多「好東西」是真正的「好東西」，值得分享。

但你必須冷靜地分析、品評之後，才能加入，也才能介紹給別人。

免得有一天，你成了美美，不但被騙，騙人。而且可能使那被

騙的人，以此作為他終身不幫助慈善活動的藉口。

你更要知道，如同我在前面所說的「狐假虎威」的特質——

你這小老虎，可能一輩子都不知道自己居然被狐狸利用，且遺害久遠哪！

被醫生開死在手術台上的病人，
可能前一天才送醫生一瓶XO！

吳太太的房事

從老王來的第一天，吳太太就覺得跟他挺投緣。

這不單因爲他們是小同鄉，而且因爲老王的口音。

記得老王第一天上班，吳太太下電梯，老王主動打聲招呼「太太要出門兒。」吳太太就嚇一跳。因爲那聲音簡直就跟她死去十多年的父親一模一樣。

老王也愛談家鄉的往事，吳太太常聽著聽著，到不懂的地方，說：「爸！我沒聽懂。」話剛出口，又啞然失笑，紅著臉：「對不起，我糊塗了。」

大概就因爲「那種特別的感覺」，端午包了粽子、中秋買了月餅，吳太太都會特別下樓給老王兩個。甚至平常從外頭買了麵包回來，進大門，還沒拿回家給丈夫孩子，先遞一個給老王。

一棟大樓六十多住戶，老王也對吳太太特別好。一看吳太太拿重的東西，馬上跑出來幫忙；有一回吳太太買菜回來，正好停電，老王還幫吳太太提上五樓呢！

「幸虧住五樓，」吳太太笑說：「要是住在十五樓，可要把您累壞了。」

老王拍拍胸膛：「沒問題，您要是眞住十五樓，我老王還行，保證一口氣都不停，給您拎到十五樓去。」

「欸！」這下子觸及了吳太太的靈感：「我們還眞想搬高點，你

看！對面正在蓋，以前我們五樓還看得到山，現在全遮住了。前兩天我先生才說，要是大樓裡十二層以上，有人要賣，我們就換個房子。」

「好極了啊！」老王歪著頭：「我要是知道有誰搬，先告訴您。」

「對呀！」吳太太拍拍老王：「這樓裡您最清楚了。到時候省下掮客的錢，我包個大紅包給您。」

◉

事情就這麼巧。才過兩個禮拜，老王就來按電鈴，一副神秘兮兮的樣子：

「好消息！十三樓有人要賣。」

連人家希望的價錢，老王都打聽到了。

只是，吳太太才跟丈夫提，吳先生就一揮手：

「十三樓，免談！我不喜歡十三。而且對面蓋十二層，最少要十四樓，才有視野。」

吳太太第二天一早就告訴了老王。

過了三個多月，老王居然又有了好消息，興奮得好像他自己要買房子似的：

「好消息！好消息！大概十四樓嫌十三樓裝修吵，要搬家，原來說留著給兒子，不賣。經我一勸，決定賣了。」

接著老王就左一個電話、右一個電話地幫兩邊安排時間看房子。

吳先生、吳太太都去了。前前後後、仔仔細細地看了兩圈。

「跟咱們家格局一樣嘛！」下樓進了自家門，吳先生說。

「同一棟大樓，當然差不多。」吳太太說：「但是看得遠哪！」

「我不喜歡！」吳先生又一揮手：「好比離婚換個老婆，還跟原來那個長得一模一樣，沒意思！」

◉

第二天，星期日，一家還在睡，老王就在對講機那頭喊：「怎麼樣？吳太太，十四樓合意吧！」

吳太太糊裡糊塗的，先結巴了一陣，才婉轉地說：「我和我先生正在研究呢！」

只是，接下來每天，老王碰面都問。吳太太只好照實說了：「我先生還是看不上，不買了。」

老王笑嘻嘻的臉突然垮了，把手上原來幫吳太太提的東西，沒等電梯打開，就往門口一擺，逕自去櫃台後面看報。還把報紙狠狠地抖

那麼兩下，嚇吳太太一跳。

自那以後，老王原來熱絡的招呼不見了，也不再幫吳太太提東西、開門，連吳太太送上熱騰騰的麵包，都把臉一撇：「謝了！我不餓。」

◉

倒是還見老王爲別的住戶拿東西、開門。

有一天，吳太太在五樓等電梯，門打開，是張太太，還有抱著一個大盒子的老王。

吳太太當天晚上，去敲張太太的家門，不好意思地問：

「對不起呀！我只是想問您逢年過節，是不是都給老王紅包？該包多少？」

「紅包？」張太太眼睛張得大大的：「不是在管理費裡已經包括

年節獎金了嗎？你我都繳了啊！」

「可是，可是，」吳太太吞吞吐吐地不知怎麼說。

「妳覺得老王對妳態度不太好是吧？」張太太倒先說了：「我原來也覺得奇怪，後來還是老王自己說的，說你們把他當猴兒耍！」

【想一想】

老王對吳太太的態度為什麼突然變了？

因為吳太太不買了，老王忙了半天，沒拿到錢。

可是吳太太當初沒說一定要買，也沒講要給多少錢，只說送個紅包啊！老王何必那麼認真呢？

如果你這樣問，就是太不懂人性了。

你想想，假使有一天，你帶孩子去逛百貨公司，先叮囑孩子：「你乖乖地跟著，不能吵，要是逛得太晚，我就帶你在外面吃。」孩子那天沒吵，問題是你很快逛完，看看時間還早，就把孩子帶回家了。

那孩子是不是會失望？如果他是個「小孩子」，是不是可能又哭又鬧？

你沒有對他說一定要在外面吃啊！他憑什麼發脾氣？他說他很乖，你可以罵：「小孩乖，是應該的。」

搞不好，他愈鬧愈凶，到頭來，被你狠狠揍一頓。

◉

好！現在讓我們回頭看吳太太與老王。

吳太太沒說非買不可，紅包也可大可小，說不定只是意思、意思一、兩千塊錢。而且，做管理員，為住戶提供資訊，本來就是應該的嘛！到最後沒買，老王何必冒那麼大的火呢？

比一比，這跟那個帶孩子逛百貨公司的情況不是一樣嗎？

人都是很會想像的——

假使你是孩子，平常難得吃館子，當父母說要在外面吃，是不是會很興奮？把你想去的麥當勞、漢堡王……甚至裡面的贈品，全想到了。

如果你是老王，一把年歲了，每天守在大樓的櫃台，賺那麼一點錢。當你聽說吳太太願意把掮客的「那一份」送你當紅包的時候。你會怎麼想？

你會不會想一棟上千萬的房子，佣金有多少？甚至往下想：拿了這筆佣金，我就可以這樣那樣。所以，你特別賣力，積極打聽誰要賣房子；當人家不想賣的時候，還去慫恿；而後在中間牽線、安排時間。

當吳太太突然改口說不買的時候，你能不失望？又能不覺得自己「被耍了」嗎？

◉

人們常常莫名其妙地失望，失望在他們不實在的「希望」之中。而那不實在的希望，又常是某些人不小心造成的。

我們甚至可以肯定地說：

即使吳太太真買了老王介紹的房子，也包了紅包給他，老王還

是會不滿意。

他總會認為紅包小了。

相反地，如果當初吳太太只對老王說：

「如果您知道十二樓以上，有誰賣房子，麻煩您告訴我一聲。」

然後成交之後，包個紅包給老王，老王必定先大吃一驚，接著推說不能拿，再千恩萬謝地收下。

從此，他們的關係不是會更親近嗎？

這麼大的差異，「差」在哪裡？

差在吳太太不該先承諾！

◉

八字還沒一撇，先作承諾，是我們常犯的毛病。本來作承諾的

人以為承諾有利於事情的推動，到頭來卻發現造成更壞的影響——

如果你作老闆，今天你看外務員冒著傾盆大雨出去辦事，於是很豪爽地說：

「你真努力，這個月加發你一千塊獎金。」

你是多慷慨的老闆哪！

你可知道從此以後，每位員工冒著大雨出去辦事，而你沒看到，他們的心裡有多麼不平？

◉

如果你作老師，今天某學生答出了一個難題，你一高興，說「加你十分」。明天，別的學生每作出一道難題，是不是都會說：「老師！我也要加分！」

◉

如果妳作母親，今天來客人，孩子幫忙洗碗，妳一高興，賞他一百塊。

明天，妳生病，堆了一落碗盤，叫孩子洗。恐怕孩子才洗完，就跑到妳的病牀邊，伸手：

「媽！一百塊！」

◉

想想！

外務員冒著大雨出去辦事，學生上課答老師的問題，孩子幫父母做家事。

這不都是應該的嗎？

如果你因為他們要獎金、要加分、要賞錢而不高興的話。

你先要想想，是不是因為自己早作了不當的承諾。

當有一天，你生命垂危，急著動手術。醫生卻等著紅包來安排手術時間，你罵「醫生本來就該救人」的時候，也應當好好想想：是什麼人，使這個社會得了怪病？

請看下一個故事。

老莫的第二春

「這些顏色也不錯……」老莫又氣喘吁吁地抱來一落大理石磚：

「雖然比較小塊，但是便宜得多。」

琳琳沒回頭，繼續翻桌上的裝潢雜誌。

「如果您喜歡哪一種，我都能照作。」老莫笑嘻嘻地湊過來看。又拿起一塊大理石磚，放在琳琳看的那一頁上：「您瞧，他們用的就是這種西班牙的玫瑰石。」

琳琳摸了摸那塊石磚，突然一手扶著桌子，一手按著額頭。

「陳太太！您怎麼啦？」老莫問。

「沒什麼！有點頭暈，我得回去吃藥。」

「我送您回去。」老莫急著衝出去開車。

◉

才進家門，小陳就滿頭大汗地趕回來，焦急地喊：「妳怎麼啦？生病啦？老莫打電話，說妳頭暈。」

看丈夫急成那個樣子，琳琳噗哧笑了：「病你個頭！我是裝的。」

「裝的？爲什麼？」

「因爲我在老莫店裡看到一本裝潢雜誌，發現別人設計的都比老莫好。」轉過身，攤開老莫的設計圖，琳琳搖搖頭：「我覺得老莫有點老了。他怎麼做，就是味道不對……」

「有點土。」小陳作了個無可奈何的表情：「但妳不是說老莫可

靠嗎？」

「他是可靠啊！你自己也看到的。十幾年來咱們裝燈、換壁紙、修水管、補瓷磚，哪樣不是老莫做的，都做得很好啊！而且又快又好。」

琳琳瞪著小陳：「找他，也是你決定的啊。」

「那就叫他做吧！而且他前前後後也爲這事忙了一個多月了。」

小陳把設計圖拿過去，又看了看：「還勉強過得去。」

「不！」琳琳的臉色突然變了：「花這麼多錢，搞個老土，我不幹，我已經記下一個雜誌上設計師的電話，要找就找專家。」

◉

第二天、第三天，老莫都來電話問安。

第四天，送來一大盆花，上面寫著「祝您早日康復」。

他豈知道，當他送花的時候，小陳已經跟琳琳坐進另一位設計師的事務所了。

一群設計人員，用電腦繪圖，沒一個禮拜就定案了。高級設計師又有他的高級班底，大家分工合作，哪兒像老莫，一個人包辦。

當然，價錢也不一樣，足足比老莫多出一倍。

「貴，沒關係，最重要的是品味要對。」琳琳簽約之後，回家的路上對小陳說：「老莫便宜是便宜，不行還是不行。」

老莫又打了幾次電話，甚至親自上門探望。琳琳都用「身體不好，暫時擱擱」搪塞了過去。

直到有一天，老莫來電話，聽見工人敲打的聲音，才笑笑，不再說了。

一個多月的「昏天黑地」，總算過去。

一流設計師的手筆，果然不凡，每個看到的朋友都叫好。

只是，眞用起來，才發覺這邊應該多加盞頂燈，那邊少了個插座。叫設計師來改，卻怎麼也請不動。

「換作老莫，早弄好了。」琳琳嘆口氣。

「算了吧！換我作老莫，我更不來了。」小陳笑笑：「可不是嗎？咱們放鴿子，把老莫騙了，只怕他哪天來興師問罪呢！」

話才說沒兩天，星期假日，兩口子正看電視，門鈴響，小陳從貓眼裡看出去，嚇一跳：

「是老莫，怎麼辦？」

「我來應付！」琳琳一把將小陳推開，整整衣服，打開門。

老莫居然滿臉笑，大聲喊著：

「這門，眞漂亮，我絕對買不到。」又往門裡張望，把手伸進去跟小陳用力地握了握：「能不能進去參觀一下？」

琳琳看看小陳，怯怯懦懦地把門拉開，老莫就大跨步進了客廳，喊道：

「瞧！這工做得多精，我眞該學學。」猛地轉過身來，對著小陳和琳琳一笑：「講句實在話，我啊！學也學不成了。這設計，還是年輕人行，換作我，我也找他們。」拍拍胸脯，話鋒一變：「不過，我的小工程，還是不錯的，對不對？」

「當然！當然！」小陳和琳琳都叫了起來。

◉

當天，老莫就動手，裝了四盞嵌燈和一個插座，還移了兩個掛燈。

老莫又成了小陳家的常客，且因為他們的介紹，結交了更多的客戶。

人人都說老莫好——

工好！人更好！

【想一想】

跟上一篇故事裡的老王比起來，這老莫的修養真是好太多了，對不對？

對！而且那不止是修養。是智慧！

當你發現大勢已去，雖然對方耍了你，你大可以把他臭罵一頓。但是罵一頓，又如何？

你心裡爽快了，朋友得罪了，生意永遠沒了，惡名也傳開了。

這爽，爽得聰明嗎？

◉

曾經有位年輕朋友來找我，說他剛通過一個大公司的筆試，但是不敢去口試。

「因為我代表上一個公司出去開會的時候，曾經為了公司利益跟另一個公司的主管衝突，他跟我來硬的，我就是不讓。」他說：「可是今天，他變成我口試的主考官。」

我對他說：

「去吧！看看他的格局，如果大的話，他會不計前嫌；小的話，也不值得跟他做。」

他去了，你猜結果如何？

那主管先一怔：「我們好像見過。」

「是！」年輕朋友說：「我以前在某公司，曾經頂撞過您。」

主管把臉板了起來：「你知道今天是我嗎？」

「我知道。」

他居然被錄取了。而且成為那主管的特別助理，到哪兒都帶著他，逢人便介紹：

「這是我的新助理，以前在某公司時還跟我吵過架。他很厲害

喲！」

想想，那主管是不是也有言外之意——

「我也很偉大啊，能不計前嫌。」

我們可以說，他們兩個人都因為「不計前嫌」，才能「前嫌盡釋」。如果那年輕人先心存芥蒂，能有這樣好的結果嗎？

◉

再讓我舉幾個例子：

一、

假使你是位大作家，某雜誌向你邀稿，求了許久，你終於給了一篇，他們趕著登出來，卻忙中有錯，漏了一大段。

雜誌社不斷致歉，很不好意思地說：「希望您不會因此不再賜

稿。」

你是真不賜稿了，還是應該打開僵局，主動再寄一篇去？

作家跟雜誌結怨，聰明嗎？

二、

你託朋友介紹你進他的公司。

拖了好久，沒消息，結果你託別的關係，兩三下就進去了。

碰到那不夠意思的朋友，你應該好好損他兩句：

「嘿！你不幫忙對不對？我自己進來了，怎麼樣？」

還是說：

「謝謝你幫忙，我知道要不是你先為我美言了，我不可能成功。」

沒進公司，先結怨，聰明嗎？

三、

你或許記得這個新聞——

美國衆議院議長金瑞契的母親，接受電視記者宗毓華的訪問，居然說她的兒子認為柯林頓的老婆是個賤女人（Bitch）。

新聞播出，引起軒然大波，金瑞契甚至指控宗毓華騙了他老母。

眼看柯林頓總統夫婦跟金瑞契有了嚴重的矛盾，後來事情怎麼收場？

柯林頓的太太希拉蕊居然親筆寫了封信，由柯林頓交給金瑞契。

那是一封邀請函，邀請金瑞契和他母親一起造訪白宮。

一場很大的風波，就這樣化解了。

◉

這世上每個人的脾氣都不一樣。有人知過能改，有人死不認錯。其實死不認錯的人，當他們平靜下來，心裡都有數，只是天生的個性——嘴硬。

當你發現你的朋友，甚至你的另一半，屬於後者。如果你能先道歉，他們不但會在心底偷偷感激你，而且會加倍報答你。

我處處發現懂得先說抱歉的人，到後來佔到便宜。這叫「輸了面子，賺了裡子」。

記住！

愈有面子的人，愈輸得起面子。

愈是死要面子的人，愈會輸。

兩個人打架，被拉開之後，都會偷偷看著對方的手——他舉起來打，我也舉起來打；他伸出來握，我也伸出來握。

當所有人都認為你有資格「舉起來」，你卻先「伸出去」的時候。

你不是軟弱、不是屈服、不是耍詐，而是有了「人生的大智慧」。

這世上有什麼能比「把一個死敵變成朋友」更稱得上「贏」的事呢？

老扒手扒新人類被抓，
是因爲摸不清新人類的新口袋。

辦公室裡的柏樹

柏老？對！是「柏老」，柏樹的「柏」，不是「老伯」。

也就跟柏樹一樣，他是這個部門資格最老、年歲最長，卻又能不凋的人物。

柏老眞可以稱得上是「地位崇隆」，雖然因爲學歷不夠，只能當個副座，但是不但經理對他必恭必敬，連董事長也跟他稱兄道弟，並且直喚柏老的名字。

不！應該說只有董事長能直喚柏老的大名，除董事長之外，任何人要是叫了柏老的全名，就把柏老得罪大了。

「王柏？誰在叫我名字！」

有一次一位新來的小夥子接到董事長找柏老的電話，跟著董事長叫「王柏在嗎？」柏老當場就冒了火。

其實由董事長那江浙人的嘴裡叫出來，「王柏」才眞難聽呢！根本就成了「王八」。

但是只聽董事長左一個王八、右一個王八，叫個不停。那柏老卻好像吃了糖、喝了蜜似地不斷笑著答「是！是！是！」

◉

這也難怪柏老，因爲他是跟董事長一塊兒長大的。兩個人從穿開襠褲的時候就在一起，後來一起偷橘子、偷蓮霧，偷工地的鋼筋。一起出去打工，再一起偷了老闆的客戶名單出來創業。

「要是沒我，老董有今天嗎？」這是柏老最常說的話。

也因此，許多董事長的朋友，柏老都熟。聽說有訪客，就算董事長不叫柏老上樓，柏老也會自己衝上去。臨下班，再累得腰痠背痛地回來，說忙死了，幫著老董招呼老朋友。

柏老也總抬些花下來，都是人家送給董事長的。

「老董不會養，這些都是名花，養死可惜了。」柏老把花放在陽台上，三不五時地過去澆，每次澆完進來，大家都能背了，他一定會大聲嘆氣：「眞難哪！吃碗飯，除了批公文、招呼客人，還得種花。」

◉

柏老的公文批得極好，工筆字，是練過的，又小又整齊，他對遣辭用字尤其講究，常常爲了一個字，先查辭海，再查康熙，最後把寫

的人叫去，好好訓一頓。

「小吳！小吳，你過來！」聽！柏老又訓人了：「你看看！這『羣』怎麼能寫成『群』呢？『君』在上，哪有『君』在『羊』旁邊站著的道理？」

大概就因爲太講究，什麼公文一到柏老桌上，就得躺足一個月，連董事長都沒辦法。「以後太緊要的，就不用經過王柏了，免得他操心。」董事長私下交代經理：「但是多少還給他些不重要的公文，免得他無聊。」

柏老會無聊嗎？當然不可能。他忙都忙死了！

辦公室裡，只要電話響兩聲，沒人接，柏老一定飛快地從他椅子上跳起來、衝過去：「喂！我是老柏，有什麼事跟我說吧！我說了

算。」

柏老說話確實管用。譬如那次發獎金，就全仗柏老上樓一句話。

只是小黃明明該升主任，卻因此沒能升上去。

「都怪小黃說話不小心，得罪了老董。」有一次經理不小心說出來：「他何必帶頭喊該發獎金？這話雖然由柏老轉告了老董，獎金也眞發了，老董多少要對小黃不高興。」

「我從來沒說過半句要獎金的話啊！」小黃後來找柏老澄清。

柏老沒抬頭，從報紙後面放出三個冷冷的字：「你，說，了。」

◉

不過最近小黃那件事，可多虧柏老救了他。

公司電腦化，每個桌子上一台。事先都沒通知，就趁大家休假，

把線路全裝好了。

只有柏老例外，當大家都打電腦的時候，柏老依舊用他那手工筆小字，一個字一個字地刻。

他甚至搞來一大瓶墨汁，每天午睡醒來，先練五十個大字。

談到午睡，也是柏老的特長，每天不到十二點，他就打開便當吃，等大家出門的時候，他老先生已經打鼾了。好幾次，同事有訪客，都被柏老嚇一跳：「你們辦公室，還能躺平了睡大覺啊？」

「睡飽了，頭腦清楚。」柏老每次睡醒，看見大家已經在打電腦，總會嘆口氣：「唉！什麼電腦化，還是我這個人腦快。」

大家原來不服氣，直到小黃把一個很重要的磁碟片搞丟了，整個部門都「抓了瞎」，才發現幸虧有柏老。

他老先生居然能靠記憶，和那個又髒又臭的小記事本，把公司近百位客戶的資料全找了回來。

本來小黃得滾蛋，也多虧柏老出面，才以記大過了事。

爲此大家特別爲柏老鼓掌歡呼，小黃還買了個大蛋糕向柏老謝恩。

柏老是愈來愈像辦公室的「蒼松翠柏」了。

可不是嗎？看！柏老雄踞一隅，爲了照顧花草，他就坐在陽台旁邊，背後牆上掛著他的「法書」和董事長與他年輕時的泳裝合影。身前堆著幾落高高的文件，不但窗外是花，連脚邊也擺了一排蝴蝶蘭。

那多像一個以「巨柏」爲蔭的小天地呀！

◉

只是最近柏老的小天地麻煩了。

公司要全面整修，配合進一步的電腦化和節約能源，所有的隔間、燈光、地面乃至桌椅，都要重新設計。

這件事可把柏老搞毛了。從聽說，就掛張臉。大家都收東西，他不收，只罵：

「他媽的，錢多了是吧！也不想想窮的時候。亂花、亂花，暴殄天物，我等著瞧你垮台。」

各部門的東西全搬去了臨時辦公室，只有柏老，他就是不動。

董事長來看了兩次，說不動，搖搖頭，也沒辦法。只偷偷叫經理上去：「到最後，他要是還不收，你們就趁他下班，幫他打包運過去。」最後還叮嚀：「小心喲！別弄壞了他的寶貝，一樣也不能漏掉。」

◉在大家的協助下，柏老終於搬了。沒搬到臨時辦公室，卻搬回了他的家。

花草、照片、法書、墨寶、硯台、茶壺、枕頭……

一樣也沒少他的，除了不該屬於他的那個電腦磁碟片。

【想一想】

柏老是怎樣的一個人？

你可以往好處看——

他是公司的「開國元勳」，到老還不計名位、盡忠職守。他的學歷雖不高，但國學修養深厚，樂於調教後進。他很風雅，既愛蒔

花種草、品茗鬥茶，又是一位書法家。他樂觀豁達、隨遇而安，甚至以公司為家，守著他的那個「小天地」而怡然自得。

你也可以往壞處想——

他是個恃寵而驕，佔著位子不做事的老頑固。拉關係、搞特權、欺上凌下、逢迎拍馬。明明他自己要獎金，卻假別人的名去反映。明明尸位素餐沒事做，卻故意挑毛病、找錯字，把公文堆上厚厚一落。更可怕的是，他非但不求進步，而且阻礙別人進步，甚至偷小黃的磁碟片，幸虧大家幫他收東西時發現真相，才「請走」這個老賊。

◉

任何一個國家都需要深思熟慮的「喬木」，任何公司都需要經

驗豐富的的老人，使年輕人衝得太快的時候，能有個「拉」的力量。

但是老人也有他們的「特質」，位置安排得不對，就要產生問題。不信，請看柏老——

柏老為什麼喜歡說他早年和董事長的往事？

因為他沒有「今年勇」，所以只好炫耀「當年勇」。何況這個當年勇，足以證明他的特殊身分。

只是他談當年勇有個嚴重的後遺症，就是他既說自己當年的醜事，也會洩老闆的底。於是老闆可能發現原本剛進公司時對自己必恭必敬的年輕人，跟自己當年的「老戰友」混一陣子，態度就變得傲慢了。

可不是嗎？原來你大老闆當年偷水果、偷鋼筋、偷資料，也不

怎麼樣嘛！

當年輕小夥子知道了你當年的糗事，你的威信能不受影響嗎？

◉

其次，董事長一有老朋友來，柏老就去軋一角。如果你是老闆，在老朋友面前，你能表現出不高興嗎？只好任他軋。豈知這會造成多大的問題。

「今天老董和某人有了接觸，作成新決定……」

「我得到最新消息……」

「××人可要小心，老董說……」

當柏老這位三級主管（甚至應該算是小職員），越級跟「老大」交往，而且上上下下地傳話時，他的經理能不買他帳？他說的

話，又能不挑起無謂的「波瀾」嗎？

果然，明明是他要獎金，他卻說是小黃在爭。

你或許要問，柏老既然跟董事長關係不同，何不自己爭，卻打小黃的招牌？

這你就太天真了。

你想想，當柏老到了「樓上」，他是表現出跟董事長同一線？還是跟「樓下」同一線？只怕他還會對董事長說：

「小黃這小子太愛搗蛋，您不用理他！」

小黃能不倒楣嗎？

◉

你也要進一步了解，像柏老這樣將退休的老人，往往是最沒擔

當的。

「冒險？試試看？何必呢？多做多錯，錯了麻煩就大了。」

對呀！他要退休了，何必臨走還冒險？如果新構想失敗，只怕連自己退休俸都泡了湯。

所以你不必指望柏老有大的作為。

也因此，他何必學電腦，有新觀念？他又何必支持公司的大整頓？

他老了，他學不動了，學了也用不久，何必學？

這固然是實情，他卻可能倚老賣老說：

「公司從開張就這麼做，幾十年都沒問題，還愈做愈發，何必改？」

當你向他提出新想法的時候，可能才開口，他就一揮手，把你的話打斷：

「你們想的我早想到了，而且早試過了，行不通的！」搞不好，他還損你一句：「你們年輕人算了吧！我過的橋都比你走的路多。」

他怎不想想，時代不一樣了，你很可能坐一趟飛機，就比他半輩子跑得更遠？他憑什麼斷定，他辦不成的，你也辦不成？

◉

最可怕的是，「老成遲鈍」是一種嚴重的傳染病，如果你是老闆，不注意，你的新職員很可能進來沒多久就得病了；如果你是年輕人，更要小心，在老人的調教之下，你可能很快地老化。

你可以假想這麼一個畫面——

「連這都不懂？照這樣做，就對了！」老人對新人說。

「社會新鮮人」當然比較容易出錯，也確實經「老薑」一指點，就對了。

一次對、兩次對、三次對。新人發現老人真了不起，使自己獲益良多。

於是，新人學到了做事的方法、方式、公式、形式，他成為了「老手」，也可能成為另一個「老人」。

想想！當一切都流於公式、形式的時候，年輕人的創意在哪裡？當年輕人也安於老人的規矩，接受款待、領取規費，而且「吃上癮」的時候，你的公司（甚至我們的國家）還能進步嗎？

◉

所以，如果你是老闆，你可以先把「新人」交給「老人」帶。但是當你看那新人學得差不多的時候，就要把他由老人身邊調走，或把老人由新人身邊拉開。

如果你是新人，在你唯唯諾諾跟老人學習的時候，也要常用自己的大腦想想「是不是有更新、更好的方法？」你要時時檢討，才能不腐化，有一天才能走出自己的路。

這時候你也就該了解，為什麼許多大企業，都設有訓練部門，由老人作講師，而不把老人放在新人身邊指導。

你也當了解，為什麼大企業設有所謂「資深××室」、「研究××室」，或「××顧問室」，任一群老人看報聊天，也不想榨

取他們的剩餘勞力。

如果你是老闆，我勸你常往這些「室」走走，表現你「不忘舊人」。

如果你是新手，奉勸你少往這些地方串門子，因為那會「犯忌」。

◉

現在，很毒，也很可悲的，我要把矛頭朝向大老闆。

柏老是老人，那董事長不也一樣是老人嗎？是不是像「周處除三害」一樣，最後得「修理自己」？

對！如果你是老闆，也應該常常修理自己。還好的是，由前面所說的，你知道所謂「老人」，不見得一定年歲大。三十歲的小夥

子，失去了衝力，也是老人；七十多歲的老者，如果能用新人、施新政，仍然稱得上「少壯」。

你要常想想那些著名的飯店。

當年開張的時候，新招牌、新裝潢、新經理，一切都新。東西貴，來的都是中年的「得意人」。

二十年後，如果那飯店還開，你走進去，發現居然當年的客人還在，只是跟老闆一樣，都老了。菜沒變，師傅老了；經理沒換，笑容老了；裝潢沒變，全褪色了；價錢沒漲，但因為沒新客人上門，只欠關門大吉了。

如果你不常「徹頭徹尾地更新」，總滿意於你的老顧客、老產品、老班底，以及「老化的你」，你們大家就可能一起老去。

◉記住！如果你在一個全是老人，又固執不變的公司做事，你別認為可以接手、撿現成。

只怕沒撿到，你先老了。

記住！如果你發現自己招進的新人，沒多久，都走了。來拜訪你的，又全是老朋友、老顧客，卻沒新新人類。

你最好想想——

你是不是應該交棒了？

你凱，你當「凱子」；
你大，你當「大頭」。

教你識貨

小周愛石成癡，倒不是愛鑽石、翡翠那些寶石，也非醉心端溪、歙縣出的那些硯石，而是特別鍾情於「田黃」、「雞血」這些用來刻圖章的印石。

「田黃裡面有呈網狀的蘿蔔紋，雞血的紅色常是一絲、一絲的，至於那些牛角凍、魚腦凍、荔枝凍，更是美得讓人想咬一口，哪像鑽石、翡翠那麼透明，一眼全看穿了，根本不耐玩嘛！」小周常拿這套理論諷刺自己的老婆。

周太太本來不以爲然，但是眼看這幾年，田黃、雞血的身價連翻

五、六倍，也就不得不佩服自己丈夫的眼光。

「印石漲價的道理很簡單！女人戴寶石，男人總不能也東掛一條、西戴一顆閃亮亮的東西吧!?」小周分析：「所以有點陽剛之氣，又能拿來刻圖章的石頭，自然成爲男人的『最愛』。男人比女人更有錢，所以印石價碼節節高！」

◉

正因爲收藏印石發了財，小周動不動就往大陸跑。而且精明地不去大城市，專到小村小鎮去蒐羅。

「小地方，常能看到以前官宦人家的後代，把祖傳之寶拿出來賤賣。他們不識貨，我可識貨！一塊田黃能賺個幾十萬。」小周說。

當然，碰上不識貨的人也惹氣。有些店家連田黃、雞血什麼樣兒，

都沒見過，只要有黃色的石頭，就硬說是「田黃」，帶點紅斑，就咬定是「雞血」。

譬如今天這家，一個年輕漂亮的女店員，就非說她那幾塊黃石頭是眞正的田黃。

小周終於氣不過了，從貼身小包裡掏出自己最愛的上品田黃：「妳拿去瞧瞧，這才叫田黃！多溫潤！多敦厚！哪兒像妳這幾塊莫名其妙的東西！」

「什麼莫名其妙？」裡面突然走出個大漢，怒沖沖地說：「你要買就買，不買拉倒！」說著把桌上的印石全收了起來。

「喂！喂！喂！」小周急了：「你怎麼把我的田黃也收走了呢？」

「什麼你的田黃？這都是我的東西！敢情你想欺詐？」

【想一想】

小周錯在什麼地方？

錯在他「好為人師」。

我有位開藝品店的朋友說得妙：

「你知道嗎？如果你僱個年輕漂亮的小姐，能多做不少男人的生意。我甚至發現，有漂亮的女人走進商店，都會吸引男人跟進來。他們裝作要買東西的樣子，問問這個、問問那個。這時候，漂亮小姐要是走了，他們八成也會跟著離開。如果小姐一直留在店裡，我可就佔便宜了。」他眉飛色舞地說：

「那些男人不好意思光看不買，常能讓我多做好幾筆生意。」又神秘兮兮地笑笑：「其實啊！女人也一樣，愛現嘛！」

◉

人都有「愛現」的毛病，豈知當你「現」的時候，也正是你弱點顯露的時刻。

「現」，使原來不知你底細的人，立刻知道了你的斤兩；「現」，使你為了面子，不得不「內行裝到底」，於是「打蛇隨棍上」的商家，正好抓住機會，左一句「您當然知道」，右一句「想必您早見過」。你明明不知道、沒見過，也強裝內行，最後完全掉入他的陷阱。

曾經有個人從北京帶了幅畫請我鑒定。畫沒打開，先吹他自己

多內行，從絹色、印色和裱褙，就知道買得不會錯。

聽他這麼說，我先猜到：他八成買了幅假畫。

果然，那畫才展開不到一尺，就知道是假東西了。

「怎麼可能？」他叫了起來：「你看！這絹的顏色因為經過幾百年，所以都變黑了，印章的顏色也不是鮮紅的；尤其這畫法，我在故宮見過，唐寅就這樣畫，連構圖都一樣；還有你看這畫的裱裝，多老！織錦都破了。」

看絹色、看印泥、看構圖、看裱裝。

他說的樣樣都沒錯，錯在他只懂三分，卻要裝作十分，錯在那種假畫是專為他這種人準備的——

您不是要看絹色嗎？

他這絹早染過了，用的染料是拿民家燒飯，「百年老灶」上薰黑了的「牆紙和天花板」泡水調製的，不但顏色老，連味道都老。

您不是要看印色嗎？

他的印泥是用朱砂加鉛粉調色，再用熨斗燙過的。不但像經過幾百年的印色，而且老得都脆了。

您不是能看畫風嗎？

他是由行家照故宮真蹟臨摹改造的。

您不是會看裱工嗎？

他是用不值錢的老畫邊上拆下來，再黏上去的。

您不是聰明嗎？

他比您更聰明，您會看什麼，他早料到了。

◉你可以想像，在骨董店裡，這一位假「行家」，一邊看畫、一邊點頭、一邊指著分析的場面。

那旁邊的店員，則不斷鞠躬：「可不是嗎？可不是嗎？您真是行家，逃不出您的法眼。」

最後，逃不出他的手心。

◉淹死的人，多半是會水的。那個「多半」之中，又有「多半」是「半會水」的。

買骨董上當的人，多半是內行人，那內行人之中，又有多半是「半吊子」。

骨董就那一件，你無法「貨比三家」，所以：如果你是外行；最好別碰，碰了準吃虧。如果你是「半內行」，最好別說，說了就露「黔驢之技」。

至於你買一般的東西。

記住！

你買的是那東西，不是表現給那位小姐（先生），或旁邊人看的。

請繼續看下一個故事。

我家那個傻子

兩口子去香港Shopping，連著一天半跑下來，大包小包堆得像個小山似的。

太太穿高跟鞋，下午走不動了，老喬總算可以自由活動。

「別打什麼壞心眼！」太太在後面叮囑：「少往小巷子鑽，當心被搶！」

「我知道！我知道。」老喬直點頭。

不過老喬存心往一條小巷子裡鑽。喜歡收藏玉的他，早聽說有那麼一條玉街，價廉又物美。

「幸虧太太沒跟著。」老喬心想：「這兩天眞受夠了女人討價還價的毛病，婆婆媽媽，到頭來省不了幾文。」

◉

喝！一片玉！老喬眼睛都花了。

每一塊都漂亮，而且每一塊都有故事、有來歷。這塊是齊桓公腰上的；那方是朱熹頭上的；這根是慈禧鼻子裡的；那只是光緒指頭上的。

老喬眞想統統搬回家，他確實有這個財力。只是想想老婆的臉，老喬又怕了。

「就算不給自己買極品，總可以買點小東西送朋友吧！尤其公司那幾位女職員。」老喬心想，走進一家店。

櫃子裡一堆玉。老喬指了一塊：

「這怎麼賣？」

「算您便宜，三百。」

「哦！」老喬拿起來，在鼻頭蹭蹭，挺潤。交給小姐：「買了。」

等著小姐包裝，老喬頭一偏，看見另一個櫃子裡，好多小玉珮。

「這一個多少？」

「五百。」

點點頭，老喬心想：「不貴嘛！」看看那店小姐，眼前浮起辦公室小姐們戴起來，又笑又叫的畫面：「如果全買，能不能便宜點？」

小姐一笑，沒答話，回頭看看後面的老闆：「這位先生要全買，問能不能便宜點。」

老闆圓圓的身軀一下子從椅子上彈起來，走到老喬前面握個手：

「我們小姐已經給您最低價了。」

「是啊！是啊！」小姐把玉往自己胸前比了比：「多漂亮！」

老喬也笑笑，手一揮：「全包起來吧！」

小姐正要結帳，老闆又從後面端出個玉屏風，小心翼翼地放在櫃台上：

「這位先生，您看看，這是好東西。如果您喜歡，咱們結個緣。」堆出一臉笑：「上等和闐玉，無緣人不賣的。」

老喬左瞧瞧，右轉轉：

「多少錢？」

老闆伸出胖胖的手掌。

「五千？」老喬問。

「五萬！」

老喬眼一亮：「五萬？」

「好東西嘛，要不是看您這麼豪爽，要跟您結個緣，別人哪，十萬我也不賣。」

老喬又前前後後看個仔細，老闆還把座子抬起來，讓老喬看下頭，果然有個十五萬的標籤。

老喬想了想，掏褲子口袋，拿出支票本。

「這我們不能收。」老闆把老喬的手按住：「我們只收現款和信用卡。」

老喬又掏上衣裡的皮夾子，糟！忘記這是新買的衣服，皮夾子沒

換過來。尷尬地笑笑：

「你們把這幾樣留著，別讓人家買走了，我去旅館拿，馬上回來。」

◉

老喬沒能馬上回來，大概因爲跑得太快，心臟受不了，回旅館就胸痛，被老婆壓著吃藥，不准出門了。

「可是那些東西太好了，我非買不可。」老喬非撐著去不可。

「什麼好東西，非買不可？要買，我給你去買吧！」老婆看老喬一副愈著急心臟愈要出毛病的樣子，只好照著他說的地方，代夫出征。

一進店門，就見一副玉屏風和一堆玉珮，還有個已經包好的小東西，放在櫃台上。

「特價品哪！」喬太太存心損損人家，拿起一塊玉佩：「一個多

少？」

「四百五！」小姐說。

「什麼？」喬太太叫了起來，裝樣子，摸著胸口：「天哪！好貴好貴，比別家貴好多，什麼傻子會買？」轉身要走的樣子。

「您是不是眞要？」小姐追過來：「算您三百五，最便宜了。」

「還是太貴。」喬太太又拿起包好的那個：「這是什麼？」

「喔！是別的客人要的。」小姐指指另一個櫃子：「裡面很多，一樣的，一個算您一百五。」

又搖搖頭，喬太太心想「果然沒錯，那傻子差點上當。旁邊這個玉屏風，一定也是傻子挑的。」想著，伸手過去，彈了彈屏風。

「不成！不成！」老闆走了過來：「會壞的，壞了妳賠不起。」

「賠不起？」喬太太一瞪眼：「我如果買，你賣我多少？」

老闆一笑，轉身走開了。又突然回頭，臉一沈，冷冷地說：

「兩萬！妳買不買呀？」

【想一想】

我聽過一個笑話——

眼鏡店老闆對新來的店員說：

「如果客人拿起一副眼鏡問多少錢，你說四千。他滿不在乎的樣子，你就加一句『只是鏡框，鏡片要三千』。他要是還不在乎，你就再加一句：『那是每個鏡片，兩個要六千』。」

這真是非常傳神的笑話，道出了生意人的手段。

老喬不就一樣嗎？

當店員說三百的時候，他不在乎買下了。

下一個他看到的東西，明明能三百五，就漲價成了五百。

老喬居然臉不紅、氣不喘，說「全要了」。老闆心想：今天真碰上大肥羊，吃小的沒意思，就端出玉屏風，多坑你一倍半的價錢吧！

◉

人們吃虧上當，常因為他們不在乎。

很忙的生意人做西裝，想想是老師傅了，於是價也不講，「你看著辦吧！」

很大牌的老闆整修店面，設計師送上什麼「型錄」，都一揮手：

「你辦事，我放心，你幫我挑吧。」

於是，他幫你辦、幫你挑。哪樣貴，幫你辦哪樣；哪樣賣不出去，幫你挑哪樣。

你的門把是最講究的純銅鍍金，偏偏可能那鍍的地方已經有點生銹——那是庫存久了，賣不出去的東西。

你買的花瓶，價錢確實比市面便宜，只是可能花紋有點模糊——那是工廠淘汰的瑕疵品。

你的浴缸是真正國外進口的名牌。只是可能有個地方的搪瓷裂開一小塊——那是他的老虎鉗不小心掉下去，砸壞了，被上個客戶拒收的東西。

◉

一個賣水果的人，剛打開一箱櫻桃賣個價錢；被人挑得差不多的時候，賣個價錢；要發霉，沒人要的時候，又是一個價錢。

今天，你不在乎，甚至懶得去，只打個電話叫貨，就可能花「剛開箱」的價錢，買那將發霉的剩貨。

「我沒騙你呀！不信你來看看，我這箱，就標這個價。」

「你應該吃點虧嘛！誰讓你自己不用功，你把時間都拿去賺大錢了，就讓我賺點小錢吧！」

「你活該多花點錢哪！你錢多嘛！人家嚇得掉頭就走的東西，你還嫌便宜，我幹麼不多敲你幾文？」

生意人永遠有他的道理。如同他們常說的——

「殺頭的生意有人做；賠錢的買賣沒人做。」

他們隨時看你的表情，從你進門的樣子、你的穿著談吐、你感興趣的東西。沒兩下，他已經決定該怎麼為你「定個價錢」。

◉

美國人曾經做過一項調查，發現買大東西，主婦比較容易上當；買小東西，男人比較容易吃虧。

道理很簡單，你想想，如果你去為人估價，一邊是女主人溫婉地招呼你，客氣地說她什麼都不懂；另一邊是個男主人，虎視眈眈地盯著你，你寫一行，他問一行。

你給誰比較便宜？

換個情況，你賣水果。一位主婦提著菜籃走過，和一位上班經過的男人分別問你價錢。

你可能給誰比較貴？

◉計較的人，總是會得到好的價錢。誰讓他花時間討價還價，一分耕耘，一分收穫嘛！

不在乎的人，當然應該貴點，他匆匆忙忙、急著走，又從不上菜場，當然應該貴些。

現在我請問：

你是會計較，還是不計較的人？

你確實可以不計較，因為你有錢沒閒，對不對？

但是，由老喬的例子，你也要知道，當你一副不在乎的樣子的時候，很可能由吃小虧，成為吃大虧。

這個故事跟前面那篇〈沙發上的戰爭〉很不一樣，前面那個是盲從的人偶然被坑，這個則是「凱子出門，樣樣吃虧」。

千萬記住！

無論你多麼富有，當你問價錢的時候，總要擺出計較的樣子。

無論你聽到多麼合意的價錢，都不能露出「喔！原來這麼便宜」的表情。你甚至得多多少少還個價。

因為不在乎小的，就可能失去大的。

你不在乎一個幾百塊錢的小玉珮，就可能賠上幾萬塊錢的大屏風。

處罰咬人的狗，
最好由主人動手；
既能不傷自己的面子，
又能不傷自己的狗。

櫻花街傳奇

「櫻花街」就像它的名字，是很「鶯」又很「花」的。

每天太陽還沒下山，櫻花街就睡醒了，先是眨起霓虹燈的眼睛，接著則展現它誘人的歌喉。

一片星海和旋律中，隱隱約約映出一雙雙玉腿，還有冷不防伸出來的粉臂，怪不得附近的妻子都叮囑丈夫：「晚上小心，別打櫻花街過。小心被妖精一把抓進去，吃掉！」

◉

但是自從哈雷警官上任，櫻花街就變了。開業的兄弟一個個愁眉

苦臉：

「那老小子還睡不睡覺？前天夜裡兩點，帶一票人衝進來。」

「甭提了！他大概也不吃晚飯，昨天晚上六點就在我們前走來走去。」

以前要是有「行動」，總會先接到電話。但這哈雷警官老是緊急集合，警員上車跟著他走，快到了，才宣布當天的任務。

在車上，誰敢打電話呢？

◉

兄弟們開始責怪查理：

「過去每一任，你全都打點好好的，爲什麼今天會出這種狀況？」

「我託他下面人去送了啊！」查理一攤手：「可是下面人看到他

那張死臉，就縮回來了。喏！錢還在這兒。」

「你不敢，由我來！我們加他一倍。就不信他那麼乾淨！」還是亨利厲害，自告奮勇去見哈雷。

亨利去了，沒回來。因爲行賄警官，當場就抓了進去。

「你們男人差！」瑪莉大姐出面了：「碰到強的男人，要找他的女人下手，你把他太太打通了，枕頭旁邊來兩句，還能擺不平？」瑪莉調整了一下胸罩：「哼！他太太只要對他使點媚功，我就不信，他半夜還會出來。」

一群兄弟全笑翻了。大家再掏錢，交瑪莉去辦。

沒多久，瑪莉就回來了。高跟鞋斷了、裙子破了、黏了一頭的雞蛋殼。

「被他老婆推出來，又被他們一社區的人追著砸雞蛋。」瑪莉哭著把一袋錢扔給兄弟：「他們說要不因爲我是女人，一定把我打死。」

哈雷一家眞成了社區的英雄。二十多年來，換了多少任警官，只有哈雷最神，才來兩個月，那櫻花街就眞幽靜得可以散步賞花了。

◉

兄弟們開始打包，決定另謀發展。大家知道像哈雷這樣的好警官，又得到附近社區的支持，絕對穩如泰山，不可能動的。

只是他們還不死心，湊了一筆更大的錢，交給三叔去作「最後一搏」。

三叔早退休在家種花了，禁不住「晚輩」們的請託，才決定出馬。

「一句話！包在我身上。」三叔一邊咳嗽，一邊對大家舉著雙手：

「我這就跑一趟。」

可是，三叔跑了一趟，錢也花光了。哈雷還是做得好好的。甚至可以說愈來愈順手、愈來愈得意。不但連拿兩個勳章，接受了一次褒揚，而且要升局長了，這是連跳兩級啊！

哈雷升官的消息傳來，社區居民送的花，由警局裡面一直擺到門外。

「這麼正直的警官，該升！」

「哈雷的上級眞是知人善任！」

「聽說他去的那個管區，比我們這兒還大得多呢！」

居民們雖然不捨，還是爲哈雷高興。

◉

哈雷新官上任的前一天，總局長也把他叫去嘉獎了一番。

「做得好！做得好！」總局長拍著哈雷肩膀，交給哈雷一個紙袋：「這是你該得的，再做一陣，就夠買棟房子了。」

◉

「櫻花街、櫻花開，飛跑的櫻花都回來。

霓虹燈、閃閃亮，三叔的功德眞無量。」

櫻花街又活了，裡面的小姐總是這麼唱。

【想一想】

這個故事你看懂了嗎？

櫻花街的「業者」為什麼要謝謝三叔？

如果你沒看懂，可以從頭想想那故事的情節——

當哈雷警官掃蕩色情，讓兄弟們頭痛不已的時候，他們先找誰疏通？

先找哈雷下面的人，對不對？

下面的人辦不到，他們開始找誰？

找哈雷本人行賄，對不對？

但是，哈雷本人，甚至他的家人都打不動的時候，他們還有誰可以找？

現在你想通了吧？

當然只剩下哈雷上面的人！

於是三叔找上總局長，由總局長把哈雷連升兩級，調走。

這麼守正不阿的警官，讓他升官有什麼錯？

哈雷本人能升到更大的管區，他有什麼好怨？

而且，說不定總局長還私下有不少「獎勵」呢！

總局長會不會對哈雷說：

「好！現在我把你調到更能發揮的地方。跟『上一站』一樣，你要毫不留情，他們給多大的好處都不收，也不准你下面人收，讓他們把錢存著。到頭來，他們一定會來找我。」

哈雷會不會幹一陣子，又升官、調職，而且買了新房子？

◉

大多數人都很死心眼。

碰到有人「擋路」，他們只會想「把他拖下來」或「把他幹

掉！」

這是多笨的想法啊！拖他下來，你有能力嗎？你又承受得了輿論的譴責嗎？而且，你能保證他有一天不會再爬上來，好好修理你嗎？

至於把他幹掉。

你大概也等著被槍斃吧！

你為什麼不想個更好的辦法——

把他捧上去！

◉

在《我不是教你詐①》裡，我曾經提到「卡位」。卡位的種類很多——

碰到好位子，趕不及過去，請人幫你先佔著，再讓給你，是「前卡位」。

遇到擋路的人，把他調開，再用你的人補上去，是「後卡位」。

「後卡位」的學問可比「前卡位」大多了。那好比——

叫一個坐在那兒的人，站起來，把位子讓給你。當然比你去搶個空位難得多。

不信？

請看下一個故事。

D-Day攻擊計畫

D-Day就要來臨了，整個部門的人都很興奮，大家等著看好戲。

何止業務部，公司裡其他部門的人也都拭目以待。看看耿經理怎麼修理小邱，也看看邱總經理怎麼護他這個「胡作非爲」的堂弟。

其實從耿經理上任的第一天，大家就知道「有好戲看了」！

長春藤盟校博士，太太又是政治人物的掌上明珠，怪不得董事長一眼就看中。不但直接讓他做經理，而且安排在這個弊端最多的部門。

「恐怕董事長根本就有他的算盤，」大家都這麼猜：「不然何必擺到這個部門來呢？耿經理上任的第一天，又何必挑明了說『我這個

人不講情、只講理，在我這個部門沒有特權』呢？」

當時大家就都把眼角瞄向小邱：「你完了！你胡搞亂搞，就算有總經理撐腰，也要踢到鐵板了。」

「只怕是那姓耿的，先踢到鐵板吧？」小邱居然放出這麼一句，照樣搞他的。偏偏耿經理怎麼疑心、怎麼查，都查不出個道理。

中間也有些人偷偷塞紙條給耿經理，提供線索。令人不解的是，線索明明沒錯，眞查起來卻又錯了。

每次看見耿經理滿面寒霜地把小邱叫進去，過不久，又見小邱大搖大擺地出來。大家都搖搖頭、攤攤手，心想：「看樣子，這董事長的心腹眞踢到鐵板了。」

小邱的下巴愈抬愈高，聲音也愈來愈大，動不動就說要去總經理

那兒談事，他還把耿經理放在眼裡嗎？

連其他部門的人都看不順眼，下了班，大家一起對資料，像偵探一樣查小邱是怎麼做的。

皇天不負苦心人，有個老客戶也看不過去，決定跟耿經理配合，揪出那個米蟲。

眉目愈來愈淸楚，眞相終於要大白了。

◉

今天，原定D-Day的前三天，全業務部的人都集合了。

每個人都心跳加快，每個人都有一股不吐不快的怒氣，大家只等董事長來，就要一起遞出辭呈。

雖然耿經理是升官，調到新開的分公司做總經理，但大家知道那

是怎麼回事。

「這公司太沒有公理了！」每個人都在心底吼：「我們幹不下去了。」

就在這時候，董事長笑吟吟地進來，總經理跟在後面。大家正要吼，卻看見更後面的一個人——耿經理作出了阻止的手勢。

「我知道大家捨不得耿經理走，對不對？」董事長倒是開門見山。

就聽見一片如雷的呼應「對！」

「但是大家要知道，這並不是我或邱總經理的決定，是耿經理自己願意接受那個挑戰，到那邊去挑大樑啊！」董事長轉過臉看看耿經理。

耿經理居然笑著點頭。

大家全愣了，有一種被出賣的感覺……

◉

原定D-Day的後七天——

耿經理眞走了，來了一位謝經理。

從聽說，大家就想「完了！」誰不知道謝經理是邱總經理的同學。怪不得小邱把脚都蹺到桌子上了。

謝經理進門的那天，部門裡沒有任何歡迎儀式，只當沒這個人存在。大家用低著頭、不出聲，表達抗議。

「我姓謝！請各位多指教！」

那謝經理倒知趣，主動一桌一桌地握手致意。握到的人也就「哦！

歡迎！歡迎！」地意思一下。心想：「你怎不先去跟地下經理小邱拜山呢？」

瞧！小邱，手上耍著筆。長長的脖子，左扭扭、右扭扭，那副「人五人六」的樣子。

謝經理終於走到小邱前面了。

「我姓謝！你是邱先生吧？」謝經理伸出手，敲敲桌面：「麻煩你現在收拾一下，你被免職了，今天生效！」

【想一想】

這個故事，乍看跟〈櫻花街傳奇〉類似，同樣是「關鍵」人物被調走的「後卡位」。但是非但結果不一樣，學問也大得多。

不知道你有沒有聽過這樣的故事——

將軍帶兵紀律嚴明，多麼親信的人犯罪，都依法處置、絕不寬貸。

某天晚上，另一部隊的將軍派密使來報：「我們抓到一個強姦犯，依法應該處死，但是審問之後發現那是您的獨生子。怎麼辦？」

將軍一夜沒睡，第二天早上親自出馬，直接去見那部隊的長官。

將軍沒為自己的獨子求情，只要求一件事——

「讓我帶回去，自己把他處死。」

◉

這將軍多狠的心哪！他怎會忍心自己殺死獨生子呢！就算要處死，何不交給那個部隊執行？

但是，你靜下來細想想，這當中又有多大的差異！

「我的兒子犯法，我自己把他斃了，我是多麼軍令如山、大義滅親的將軍？我領導的威嚴只可能增加，對不對？」

相反地，如果任由另一個部隊處置，兒子同樣是死，由別的部隊抓到，而且判處死刑，是不是使將軍的顏面受損、威嚴掃地？

請問：

如果你是另一個部隊的長官，你會不會同意將軍領回兒子，自己行刑？

你當然也會。因為你知道，如果非堅持由「本部隊」執行，你只可能跟那將軍結仇。

現在我們就可以了解，為什麼董事長懷疑小邱有弊，安插耿經理去查，已經查出來了，卻又陣前換將，交給新來的謝經理處置。因為謝經理是邱總的人，自己的人犯錯，由自己派人去修理，總比董事長的人去處置，來得不失顏面哪！

於是，你可以猜想整個事情的過程是這樣的——

邱總眼看小邱的「作弊」要曝光了，主動找董事長和耿經理商量：

「我這個堂弟是混蛋，我認錯人了，請給我個面子，由我安排人處理。我保證把他開革，比你們的速度還快、還狠。」

可不是嗎？謝經理上台的第一天，根本沒再調查，就把小邱開革了。

◉

道理就這麼簡單，對不對？

如果你說對，你未免太天真了。

你怎不想想謝經理為什麼動作那麼快？

在你為謝經理叫好、喊爽的時候，可知道這裡面正隱藏著更大的學問？

相信你一定看過這樣的電影情節——

兩個人一起在黑幫臥底，黑幫頭頭發現消息總是走漏，有一天查出來，是其中一人臥底，那人又跟另一個走得很近。

這時候，只見那還沒被發現的人咆哮地衝過去，狠狠地又踢又打，搞不好還白刀子進、紅刀子出地手刃了那個叛徒。

換作是你，你能不先出手嗎？

你等著看好戲？等著那叛徒被強刑逼供，最後把你招出來？

兩個人死，不如一個人死，另一個還能繼續臥底，不是嗎？

◉

好，讓我們再回頭看看小邱，看看邱總，也看看謝經理。

當邱總要謝經理「快刀斬亂麻」地把小邱開革，公司裡人心大快了，有誰還會想：

「等一下！等一下！案子還沒查完呢！應該繼續查，往上追，查個水落石出。」

於是，表面上案子結了，其實業務部還是由邱總的人在搞，甚至可以說由「小邱」換成了「大謝」。

謝經理在上面，如果一手遮天，案子當然查不下去；當「風聲過了」，再由謝主導，照小邱的方式來，豈非更方便？

現在你懂了吧！為什麼邱總要用謝經理，而犧牲小邱。他又為什麼沒等案子完全查清楚，就動手。

你或許要問：難道董事長和耿經理這麼笨，甘心就此罷手嗎？

這時候，你又要更深一層想了——

當案子繼續擴大，往上查出邱總也有弊端，如果你是董事長，你敢不敢把邱總也開革？把他開革，你公司能不「開天窗」嗎？以他的資歷，跑到敵對的公司，你能不受損嗎？

所以董事長睜一眼、閉一眼地過了，也要耿經理就此放手了。

讀到這兒，你大概會暗罵「這是個多麼詐的社會啊！」沒錯！這社會是很詐。但你也要了解，那「詐」有一定的倫理。

人際關係是糾纏在一塊兒的。你無論是「前卡位」、「後卡位」，只要「位子」一動，四周的人就都得跟著動。所以真正有智慧的人，不能只求自己痛快。你必須在做任何一個大動作之前，都想想「我今天這個動作，會不會造成負面的影響？」如果你是政治家，更該想想「我這樣做，會不會害了天下蒼生？」

◉

各位朋友，我們看到弊端，不能不反映，否則社會怎麼進步？公理如何伸張？

但是如果能用「漸進的改革」，取代「突然的變法」；能用

「和平轉移」取代「流血革命」；能用「大家贏」取代「一人贏」，不是更好嗎？

想想：

作弊的小邱滾蛋了。

耿經理升官了。

董事長除去了眼中釘。

公司同仁趕走了仗勢的大混蛋。

謝經理突然得個好差事。

邱總經理坐得更安穩了。

只要大家合作，防止小邱的弊端死灰復燃。

這不是比一路追查下去，造成公司大動亂，完滿得多嗎？

◉ 我不是教你詐，是教你認清別人的詐。

我不是教你詐，是盼望你在不得不耍詐時，也能有關懷、有包容。

【後記】

大詐之詐，彷彿不詐

當這本書出版時，距離上一集——《我不是教你詐②》，已經將近兩年了。

在這兩年間，接到許多讀者的來信，問我爲什麼不早早出第三集。甚至有人責問我「既然不出，何必在第二集預告？」

在這兒，我要向大家解釋，其實過去一年間，我出了兩本「處世系列」的作品，一本是與劉軒合作，非常淺近有趣的《創造雙贏的溝通》；一本是藉一隻螳螂，探討世間愛恨情仇的《殺手正傳》。

我深切地盼望，覺得這本《我不是教你詐③》太深的讀者，能看看《創造雙贏的溝通》，從人際交往最基本的「溝通」讀起；我更盼望看這本第三集，還覺得不夠辣的讀者，能看看《殺手正傳》。

你很可能因此發現「天生萬物，天殺萬物；萬物生萬物，萬物殺萬物」。這世間「最仁」也「最不仁」的竟然是「天」，也可以說是天地間的一個「理」。

了解這個理，對許多「詐」，就能一下看穿、看破，也看開了。

於是，你知道——

大詐是圓融、大智慧是達觀、大愛是包容。

你也知道——

決絕的作法，雖然能讓你「一時很爽」，卻不是最好的處世態度。

話說回來，這本《我不是教你詐③》何嘗不是告訴大家：

哪些事不必說，哪些事不該問；做調人要厚道；買東西要自主；得理時且饒人；有錯時先認錯；當勢的人要小心被利用；遇到僵局要主動去化解；一人贏不如大家贏……。

《我不是教你詐③》表面看起來，雖然比前兩集更深、更辣，但是想想，它不是也更平實、更溫厚嗎？

經歷年月的酒，不再辛辣、不再有浮面的「果香」，但是更醇美、更蘊藉、更醉人。

經歷風霜的人，不再尖刻、不再有表面的油滑，但是更圓融、更開闊、更親切。

大詐之詐，彷彿不詐，就是這個道理。

劉墉「處世系列」介紹

【導讀篇】

人生的眞相

如果「勵志」書是教你向前衝，這本「礪智」書則是要你小心走。八十多個精采的小故事，以連鎖的方式呈現，讓你自己閱讀、自己歸納、自己發現，卻不必自己「遭受」，就了解人生的眞相。

三十二開，二二四頁，穿線裝，定價一五〇元。

【反思篇】

冷眼看人生

這是一本專爲成年讀者寫的書，很辛辣、很幽默、很諷刺、很動人。它可能讓你會心而笑，也可能令你手心冒汗。最重要的是，它反映眞實的社會與人性。教你怎樣以冷眼，客觀地看這人世間的衆生相。

三十二開，二四〇頁，穿線裝，定價一五〇元。

【辯證篇①】

我不是教你詐（第一集——一般處世）

世事洞明皆學問，人情練達即文章。這本書就是教你：怎麼洞明世事，如何練達人情。它教你怎麼說話、怎麼送禮、怎麼對事不對人、怎麼韜光養晦、怎麼把話說在前、怎麼利用矛盾、怎麼看穿「卡位」，甚至怎麼打電話。

三十二開，二四〇頁，穿線裝，定價一五〇元。

【辯證篇②】

我不是教你詐（第二集——工商社會處世）

這是一本針對當前社會現象所寫的書，每個故事都可能切中時弊，每個分析都可能深入人心。它把這個工商業社會的機巧與人性結合在一起，作出細細的分析。它教你怎麼看透人性和諒解別人，也教你怎麼做個「不被迫害的好人」。

三十二開，二七二頁，穿線裝，定價一八〇元。

【辯證篇③】

我不是教你詐（第三集——現代社會處世）

這本書雖然看來比前兩集更辛辣，但是也更平實而溫厚。它教

你哪些事不必說，哪些事不該問；得理時且饒人，有錯時先認錯；當勢的人小心被利用，遇到僵局要主動去化解；一人贏不如大家贏……。它教你眞正做到「大詐之詐，彷彿不詐」。

三十二開，二六四頁，穿線裝，定價一九〇元。

【反諷篇】

殺手正傳

這是一本經過細密策畫寫成的巨著，也是劉墉從事文學創作以來，最雄渾有力的作品。作者巧妙地透過一隻螳螂，探討人生的愛憎情仇與人世的狡詐現實。它比過去任何一本書都辛辣尖銳，對整個人類的文明提出批判。

二十五開，三五二頁，穿線裝，定價二八〇元。

劉墉的著作

文藝理論：

〈中國繪畫的符號〉（《幼獅文藝》．1972）

〈詩朗誦團體的建立與演出〉（聯合報1981）

《花卉寫生畫法The Manner of Chinese Flower Painting（中英文版）》（紐約水雲齋．1983）

《山水寫生畫法Ten Thousand Mountains（中英文版）》（紐約水雲齋．1984）

《翎毛花卉寫生畫法The Manner of Chinese Bird and Flower Painting（中英文版）》（紐約水雲齋．1985）

《唐詩句典（暨分析）》（水雲齋．1986）

《白雲堂畫論畫法Inside The White Cloud Studio（中英文版）》（紐約台北水雲齋．1987）（太平洋文化基金會獎助）

《林玉山畫論畫法The Real Spirit of Nature（中英文版）》（紐約台北水雲齋．1988）（太平洋文化基金會獎助）

〈中國繪畫的省思　（專欄系列）〉（中國時報．1990）

〈藝林瑰寶（專欄系列）〉（《財富人生雜誌》．1990）

〈內在的眞實與感動〉（聯合報．1991）

《中國文明的精神　（三十集二十七萬字）》（廣電基金．1992）

《屬於這個大時代的麗水精舍》（太平洋文化基金專刊．1995）

畫冊及錄影：

〈歐洲藝術巡禮〉（中國電視公司播出·1977）

《芍藥畫譜》（水雲齋·1980）

《The Real Tranquility（英文版錄影帶）》（紐約聖若望大學·1981）

《春之頌（印刷冊頁）》（紐約水雲齋·1982）

《眞正的寧靜（印刷冊頁）》（紐約水雲齋·1982）

《The Manner of Chinese Flower Painting（英文版錄影帶）》（紐約海外電視25台播出·1987）

《劉墉畫集（中英文版）》（紐約台北水雲齋·1989）

《劉墉畫卡（全套二十四張）》（水雲齋·1993·1994·1995·1996·1997·1998）

有聲書：

《從跌倒的地方站起來飛揚（劉墉·劉軒演講專輯）》（台南德蘭啓智中心·只供義賣·1994）

《這個叛逆的年代（劉墉演講專輯）》（馬來西亞華僑董事會聯合總會·只供義賣·1995）

《在生命中追尋的愛（劉墉演講專輯）》（伊甸社會福利基金·只供義賣·1996）

譯作：

《死後的世界（瑞蒙模第原著）》（水雲齋·1979）

《顫抖的大地（劉軒原著）》（水雲齋·1992）

詩、散文、小說：

《螢窗小語（第一集）》（水雲齋·1973）

《螢窗小語（第二集）》（水雲齋·1974）（中山學術文化基金獎助）

《螢窗小語（第三集）》（水雲齋・1975）（中山學術文化基金獎助）

《螢窗小語（第四集）》（水雲齋・1976）

《螢窗隨筆（詩畫散文集）》（水雲齋・1977）

《螢窗小語（第五集）》（水雲齋・1978）

《螢窗小語（第六集）》（水雲齋・1979）

《螢窗小語（第七集）》（水雲齋・1982）

《眞正的寧靜（詩畫散文小說集）》（水雲齋・1982）

《小生大蓋（幽默文集）》（皇冠・1984）

《點一盞心燈》《薑花》（水雲齋・1986）

《超越自己》《四情》（水雲齋・1989）

《創造自己》《紐約客談》（水雲齋・1990）

《肯定自己》《愛就注定了一生的漂泊》（水雲齋・1991）

《人生的眞相》《生死愛恨一念間》（水雲齋・1992）

《冷眼看人生》《屬於那個叛逆的年代（改寫・劉軒原著）》《離合悲歡總是緣》（水雲齋・1993）

《衝破人生的冰河》《作個飛翔的美夢》《把握我們有限的今生》（水雲齋・1994）

《我不是教你詐》《迎向開闊的人生》《在生命中追尋的愛》（水雲齋・1995）

《生生世世未了緣》《抓住心靈的震顫》《我不是教你詐②》（水雲齋・1996）

《尋找一個有苦難的天堂》《殺手正傳》《在靈魂居住的地方》《創造雙贏的溝通（劉軒合著）》（1997）

《攀上心中的巔峰》《我不是教你詐③》《對錯都是爲了愛》（即將出版）（水雲齋・1998）

水雲齋公益活動報告（一九九七年一月一日至十二月三十一日）

◉**本報表係爲徵信而根據各公益團體之年度報表及收據製作**。

台灣地區

一、義賣畫卡：①捐贈伊甸社會福利基金會畫卡63,800張，協辦伊甸在全省金石堂之義賣簽名會六場，刊登中時及聯合全三批公益廣告三次。伊甸義賣收入770,913元。②捐贈中華兒童福利基金會畫卡10,118張，義賣收入131,534元。此義賣今年繼續，請洽伊甸（02-25773868）購買。

二、義贈盲人有聲書：捐贈盲人有聲書《從跌倒的地方站起來飛揚》及《在靈魂居住的地方》共二千一百套。均交財團法人愛盲文教基金會發出。此類義贈今年繼續，盲人同胞請洽愛盲（02-27383303）。

三、義賣有聲書：捐贈版權及資金給伊甸製作之有聲書《在生命中追尋的愛》，收入315,520元。此有聲書繼續義賣，請洽伊甸。

四、幫助未婚媽媽：①爲基督徒救世會、天主教福利會、露晞服務中心及安薇未婚媽媽之家，在水雲齋出版的兩本書中刊登各兩頁之廣告，並隨書在聯合及中時之廣告中告知共十次。②捐贈以上慈善團體及布農文教基金會等現款87,500元。

五、其他義賣及捐贈：回頭書義賣由我們自辦，共得款25,672元，作爲公益之用：捐書共1,812本：捐畫兩幅（供吳健雄基金會及伊甸義賣）。捐印製月曆圖片版稅150,000元（由印製單位逕交伊甸）。回頭書義賣今年繼續，凡在校師生由學校訓導處於郵撥單後蓋章，均可以六折（以最新書價爲準，不得少於十本）購買八成或九成新的回頭書，收入全部捐作公益之用。

大陸地區

一、**幫助希望工程**：①經《中外少年》雜誌協辦，共捐款50,000元（人民幣），協助廣西、山東、四川、陝西、貴州等地大、中學生206人。②經《中學生》月刊，捐助希望工程（明細尚未收到）。此項活動今年繼續，大陸貧困失學生可洽《中外少年》（7715856577）。

二、**爲大學生義講**：我們共全額贊助發行人在遼寧大學、東北大學及建築工程學院義講三場（非由我們出資之義講不列入）。

馬來西亞地區

一、**巡迴募款義講**：去年共在吉隆坡、檳城、馬六甲、詩巫、亞庇等地爲僑社募款演講五場。

二、**捐贈有聲書**：授權馬來西亞華校董事聯合會出版有聲書《從跌倒的地方站起來飛揚》義賣。以上兩項募款收入共83,759元（馬幣）。有聲書義賣今年繼續，馬國讀者請洽董總（603-8362779）購買。

美國地區

捐贈美華防癌協會畫卡10,000張，義賣得款10,000元（美金）。此項義賣今年繼續並擴大，美國讀者請洽防癌協會（718-8868890）購買。

●**水雲齋辦理公益活動的原則是：全部公益資金均以本公司作者捐出之版稅爲之，除回頭書義賣，因不得已而由我們自己處理外，不經手外界任何金錢，也不對外募款。各種義賣均捐贈慈善團體自行處理，我們不回收任何成本，也不代售。**

有冷酷也要有溫馨；有勵志更要有深情。
劉墉的作品都經過精心策畫，在每本冷冷的作品之後，總配上一股暖流

《我不是敎你詐①》配《在生命中追尋的愛》；《我不是敎你詐②》配《抓住心靈的震顫》；《殺手正傳》配《在靈魂居住的地方》。

請千萬別錯過劉墉爲《我不是敎你詐③》讀者寫成的深情之作：

《對錯都是爲了愛》

國立中央圖書館出版品預行編目資料

我不是教你詐・第三集，現代處世篇／劉墉著.
－－初版・－－臺北市：水雲齋文化，民87
面；　公分
ISBN 957-9279-40-3（平裝）

855　87003104

我不是教你詐③

作　者：劉　墉
發行人：劉　墉
出版者：水雲齋文化事業有限公司
地　址：臺北市忠孝東路四段三一一號五樓之五
電　話：(〇二)二七四一五二六六・二七七一七四七二
郵政劃撥：一五〇一三五一五號
傳　眞：(〇二)二七四一五二六六
登記證：局版台業字第伍零零貳號
校　對：司馬特　畢薇薇　馮宜靜　宋明憙
總經銷：吳氏圖書有限公司
地　址：台北縣中和市中正路七八八之一號五樓
電　話：(〇二)三二三四〇〇三六
電腦排版：上統電腦排版事業有限公司
印　刷：沈氏藝術印刷公司
地　址：台北縣土城市中央路一段三六五巷七號
定　價：平裝一九〇元
出　版：中華民國八十七年八月

爲回饋社會，劉墉已將本書版稅五十萬元捐作公益之用

ISBN:957-9279-40-3